D1643297

Un Noson Dywyll

T. Llew Jones

GOMER

Argraffiad newydd—1994

Adargraffiadau—1998, 2000

ISBN 1 85902 103 4

ⓑ T. Llew Jones ©

Argraffwyd gan
Wasg Gomer, Llandysul, Ceredigion SA44 4QL

RHAGAIR

Pan oeddwn i'n saith oed ac yn ddisgybl yn ysgol Capel Mair, sir Gaerfyrddin (sydd wedi ei chau erbyn hyn), fe gefais i fynd ryw brynhawn dydd Gwener i mewn i stafell y 'Mishtir' o ddosbarth y plant lleiaf, i wrando ar yr ysgolfeistr yn darllen stori.

Dim ond y bennod gyntaf o'r stori honno a glywais i, gan na chefais, am ryw reswm, fynd i mewn y prynhawn Gwener canlynol i glywed rhagor. Ond fe gafodd y bennod gyntaf, gyffrous honno argraff barhaol arnaf. Roedd hi'n sôn am ddyn ar gefn ceffyl yn dod ar noson dywyll, stormus at un o'r tollbyrth oedd mor niferus ar ffyrdd Cymru gynt, ac yn gadael baban bach yng ngofal ceidwad y tollborth ac yna'n diflannu i'r nos.

Am hanner can mlynedd fe fûm i'n ceisio dyfalu beth ddigwyddodd i'r baban bach hwnnw, a beth oedd diwedd yr helynt. Holais athrawon a llyfrgellwyr a phobl wybodus fel'na, a wyddent pwy oedd yr awdur, a beth oedd enw'r stori oedd yn cychwyn fel yna. Ni wyddai neb.

Yna, ryw flwyddyn yn ôl, ar ôl cael fy rhyddhau i sgrifennu llyfrau i blant trwy garedigrwydd Cyd-bwyllgor Addysg Cymru, fe benderfynais fy mod i'n mynd ymlaen â'r stori fy hunan. A dyna a wneuthum.

Erbyn hyn, ar ôl digwydd cwrdd â'm hen ysgolfeistr mewn cinio yn Aberystwyth dro'n ôl, fe wn mai Anthropos oedd awdur y stori a'm cyffrôdd gymaint pan yn blentyn. Carwn, felly, gydnabod fy nyled iddo ef am y symbyliad cychwynnol a esgorodd—hanner canrif yn ddiweddarach—ar y nofel hon!

Tŷ'r Ysgol, Coed-y-bryn   T. Llew Jones
Tachwedd 1973

Pennod 1

Cyn bod trên na bws na char modur i gludo pobl o le
i le, a chyn bod trydan i oleuo'r tai a'r strydoedd a'r
ffyrdd . . . yn y dyddiau hynny, bron gant a hanner o
flynyddoedd yn ôl, yr oedd clwydi neu gatiau mawr ar
draws y ffyrdd ym mhobman, a byddai rhaid i deithwyr
ar gefn ceffylau neu mewn cerbyd neu gert dalu am
fynd trwyddynt. Gelwid y gatiau hyn yn dollbyrth, ond
mewn rhai rhannau o'r wlad gelwid hwy'n gatiau
tyrpeg, o'r enw Saesneg *'turnpike gates'*.

*   *   *

Un noson dywyll, stormus yn y gaeaf, roedd Tomos
Wiliam, ceidwad tollborth Pont-y-glyn, yn sir Benfro,
yn pendwmpian wrth y tân. Dyn byr, llydan, â barf
ddu, drwchus yn cuddio mwy na hanner ei wyneb,
oedd e.

Roedd hi wedi mynd yn hwyr â'r tan wedi llosgi'n
isel, ac roedd ceidwad y tollborth ar fin mynd i'w wely,
gan gredu na ddeuai'r un teithiwr arall i ofyn am fynd
trwy'r glwyd ar y fath noson stormus. Roedd y Mêl
wedi mynd trwodd ers awr a rhagor a gwyddai na
ddeuai Coets Hwlffordd tan chwech o'r gloch fore
trannoeth. Eisteddodd yno am dipyn wedyn yn gwrando
ar sŵn y gwynt yn y coed mawr o gwmpas ei fwthyn.
Oedd, roedd hi'n noson ofnadwy allan, gyda mellt a

tharanau, a'r glaw yn pistyllu i lawr yn ddidrugaredd. Dechreuodd Tomos Wiliam chwalu meddyliau. Doedd e ddim yn hoffi'r gwaith o ofalu am y tollborth. Ddwy flynedd yn ôl roedd e wedi claddu ei wraig ac yn awr dim ond ef a'i ferch, Gwen, oedd yn byw yn y bwthyn bach ar fin y ffordd fawr. Yr oedd Gwen yn ddwy ar bymtheg oed ac yn tyfu'n ferch hardd a lluniaidd fel ei mam. Ni allai Tomos Wiliam feddwl beth a wnâi hebddi, oherwydd roedd yr eneth yn gwmni ac yn gysur mawr iddo. Ond er fod ganddo'i ferch yn gwmni, fe deimlai'n unig iawn weithiau. Prin iawn oedd cyfeillion ceidwad y tollborth, meddyliodd. Teimlai pawb bron yn ddig wrtho am ei fod yn gwneud iddynt dalu am fynd trwy'r gât. Yn wir, fe deimlai pobl y wlad yn chwerw iawn tuag at y tollbyrth aml ar hyd yr heolydd, gan na allent fforddio talu'r tollau trwm o hyd ac o hyd. Yr oedd cymaint o dlodi yn y wlad yn y blynyddoedd hynny fel bod rhaid edrych yn llygad pob ceiniog goch.

Neidiodd fflam sydyn yn y grât a diffodd wedyn, gan adael dim ond marwor coch. Cododd Tomos Wiliam ar ei draed, a rhwbiodd ei lygaid. Yr oedd ar fin diffodd y golau a throi i'r 'cae nos', pan glywodd sŵn carnau ceffyl ar y ffordd y tu allan, ac yna gwaedd fawr uwchlaw sŵn y storm.

'*Gate!*'

Cydiodd yn y lantarn oddi ar y bwrdd. Yr oedd y gannwyll dew ynddi wedi llosgi i'r gwaelod bron. Nid oedd amser i roi cannwyll newydd ynddi, meddyliodd. Yna dyma'r llais o'r tu allan yn gweiddi eto, '*Gate!*'—yn fwy diamynedd y tro hwn.

'Pwy all fod am fynd trwodd ar y fath noson, dwedwch?' meddai wrtho'i hun. 'A beth yw'r brys sy arno?' Taflodd hen got dros ei war ac agorodd y drws i fynd allan. Cyn gynted ag y rhoddodd gam dros y trothwy daeth pwff sydyn o wynt a diffodd y gannwyll yn y lantarn.

'Paid hidio am y golau, does dim o'i angen e!' gwaeddodd llais o'r tywyllwch. Aeth Tomos Wiliam allan i'r ffordd a chydiodd y gwynt yn ei hen got a bu bron â'i chipio oddi ar ei ysgwyddau.

Aeth yn nes at y marchog. Er nad oedd yn ddyn ofnus fe gurai ei galon dipyn bach yn gyflymach, oherwydd fe wyddai cystal â neb fod yna bob math o ddihirod yn teithio'r ffordd fawr yn hwyr y nos. Yn yr ychydig bach o olau a ddeuai trwy ffenest fechan ei fwthyn gallai weld siâp ceffyl mawr â dyn mewn clogyn tywyll yn eistedd arno.

'Mi agora i'r glwyd, syr . . .' meddai Tomos Wiliam.

'Na, aros!' gwaeddodd y marchog. Safodd Tomos Wiliam yn stond ar ganol y ffordd gan ddal ei anadl. Yn awr yr oedd yn ofni'r gwaethaf—roedd hwn ar ryw berwyl drwg. Cydiodd yn dynnach yn y lantarn yn ei law, gan feddwl ei defnyddio fel arf pe bai angen.

'Oes rhywun wedi mynd trwy'r glwyd yma yn ystod yr hanner awr ddiwethaf?' gofynnodd y dyn ar gefn y ceffyl mawr. Sylwodd Tomos Wiliam ei fod yn siarad ag acen ddieithr. Beth alle fe fod?

'Nagoes, syr,' meddai Tomos Wiliam, 'does neb wedi mynd trwodd, ond y Mêl, ers yn agos i ddwy awr, a does dim rhyfedd—ar y fath noson.'

Plygodd y marchog dros war ei geffyl.

'Wyt ti'n siŵr? Falle dy fod ti'n cysgu? Fe fu rhaid i mi weiddi ddwywaith cyn i ti 'nghlywed i.'

'Mae'n noson stormus, syr, ac mae'r gwynt yn ceisio boddi pob llais ond 'i lais 'i hunan heno. Ond coeliwch chi fi, syr, does neb wedi mynd trwy'r tollborth heb yn wybod i mi.'

'Rwy'n dy gredu di. Rwyt ti'n swnio'n ddyn gonest,' meddai'r marchog.

'Diolch syr,' meddai Tomos Wiliam, gan synnu braidd at ei eiriau. 'Mi agora i'r glwyd i chi gael mynd ar eich taith. Gobeithio nad oes gynnoch chi ddim taith bell o'ch blaen ar y fath noson.'

'Na, aros!'

Unwaith eto teimlodd Tomos Wiliam ryw ias yn ei gerdded. Pwy oedd y dyn yma oedd wedi gweiddi *'Gate'* mor ddiamynedd? Doedd dim brys arno nawr i fynd trwodd.

'Ie, syr?' meddai.

'Rwy i mewn tipyn o berygl,' meddai'r marchog, 'ac fe hoffwn i ti wneud cymwynas â fi . . .'

'Cymwynas, syr? Ond . . .'

Ar y foment honno fflachiodd mellten ar draws yr awyr, ac am eiliad gwelodd Tomos Wiliam y marchog dieithr yn glir. Gŵr ifanc ydoedd â'i wyneb fel y galchen o wyn dan ei het ddu, a oedd yn dripian glaw. Yna roedd y tywyllwch wedi syrthio rhyngddynt drachefn.

'Fe wn i nad oes gan ddieithryn fel fi ddim hawl gofyn iti wneud dim cymwynas â mi. Ond nid fi yn unig sy mewn perygl heno . . . mae 'na eraill hefyd yn dibynnu arna i, dyna pam rwy'n gofyn.'

'Wel, syr . . . y . . . os galla i wneud rhywbeth i'ch helpu chi . . . ond rwy'n methu'n lân â gweld sut . . .'

'Does 'na ddim amser i egluro dim byd. Cymer hwn os gweli di'n dda.'

'Beth? Y . . .' dechreuodd Tomos Wiliam.

Yr eiliad nesaf roedd y marchog wedi plygu dros y cyfrwy a rhoi bwndel o rywbeth yn ei freichiau.

'Dos â hwnna i'r tŷ os gweli di'n dda. Fe ddof inne i mewn—os caf fi—cyn gynted ag y bydda i wedi clymu'r ceffyl 'ma.'

Safodd Tomos Wiliam yn stond ar ganol y ffordd. Beth oedd yn y bwndel yn ei freichiau? Rhywbeth wedi ei lapio mewn blanced neu glogyn o ryw fath! A oedd hi'n ddiogel i adael i'r dyn ifanc yma ddod i mewn i'r bwthyn?

'Ble alla i glymu'r ceffyl?' gofynnodd y dyn ifanc.

'Y . . . lawr gyda thalcen y tŷ . . . fe gaiff beth cysgod fan'na.'

Disgynnodd y marchog oddi ar gefn y ceffyl ac arweiniodd ef heibio i dalcen y bwthyn.

Aeth Tomos Wiliam i'r tŷ gan deimlo'n gynhyrfus iawn, waeth erbyn hyn roedd ganddo syniad go lew beth oedd yn y bwndel yn ei gôl. Pan ddaeth i mewn i'r gegin ac i olau'r lamp olew, gosododd y bwndel ar y sgiw yn ymyl y tân. Yna tynnodd y garthen wlân brydferth ymaith a daeth wyneb plentyn—baban bach tua dwy oed neu lai—i'r golwg. Roedd e'n cysgu'n dawel. Daeth hanner gwên fach dros wyneb Tomos

Wiliam. Nid oedd erioed wedi edrych ar wyneb plentyn mor dlws. Roedd ei ben yn gyrliog a'i groen fel petalau rhosyn. Ac roedd y tamaid wedi cysgu—ac yn dal i gysgu—ar waetha'r storm a'r carlamu drwy'r nos ar gefn ceffyl!

Edrychodd Tomos Wiliam eto ar y garthen neu'r siôl drwchus oedd amdano, ac ar ddillad y plentyn ei hun. Roedden nhw o'r defnydd gorau, a gwyddai nad plentyn pobl gyffredin mo hwn.

Yna clywodd sŵn traed yn dod at y tŷ, a cherddodd y dyn ifanc â'r clogyn du i mewn.

Yn awr cafodd Tomos Wiliam gyfle i'w weld yn iawn. Roedd e'n dal a golygus, a doedd e ddim mwy na rhyw un ar hugain ar y mwyaf, meddyliodd. Ond roedd golwg oer ar ei wyneb gwelw.

Aeth Tomos Wiliam i gornel y pentan a chydiodd mewn dau bren sych o'r pentwr bychan oedd yno, a thaflodd nhw ar y tân. Tasgodd gwreichion o'r lludw a chyn pen winc dringodd fflamau i lyfu rhisgl sych y ddau bren.

Taflodd y gŵr ifanc y clogyn gwlyb oddi ar ei ysgwyddau a cherddodd at y tân. Cyrcydodd o'i flaen gan estyn ei ddwylo at y gwres.

'Mae'n ddrwg gen i aflonyddu arnoch chi fel hyn . . . y . . . wn i mo'ch enw chi.'

Sylwodd Tomos Wiliam fod y 'ti' a ddefnyddiai y tu allan wedi mynd yn 'chi' yn awr.

'Y—Tomos Wiliam,' meddai. 'Mae'r plentyn bach yn cysgu'n braf—diolch am hynny. Dwy i ddim am holi dim o'ch busnes chi, syr, ond fe ddwedwn i nad yw heno ddim yn noson y dylai plentyn mor fach â hwn fod yn teithio ar gefn ceffyl. Ond peidiwch â sôn am aflonyddu; os galla i fod o unrhyw help i chi . . .'

Trodd y dieithryn yn gyflym oddi wrth y tân a sefyll ar ei draed.

'Ydych chi . . . ydych chi'n fodlon i'r plentyn aros 'ma heno?'

Gwelodd Tomos Wiliam yr olwg ofidus yn ei lygaid.

'Wrth gwrs,' meddai, ar ôl petruso ychydig. 'Dyw hi ddim yn noson i bobl mewn oed fod allan heno, heb sôn am yr un bach 'ma. Ac fe gewch chithe aros 'ma hefyd ar bob cyfri. Ond—y—wn i ddim . . .' Stopiodd Tomos Wiliam.

'Ie?' gofynnodd y dieithryn.

'Wel, y ceffyl, syr. Does gen i ddim un lle i roi'r creadur, a thâl hi ddim 'i adel e tu allan yn y glaw—fe fydde'n ddigon am 'i fywyd e.'

'Rŷch chi'n iawn, Tomos Wiliam. Wyddoch chi ddim am ryw hen feudy neu stabl—neu rywle lle gall e fod o dan do?'

'Wel, mae 'na hen feudy gwag, fel mae'n digwydd, i lawr wrth Bont-y-glyn; hen feudy sy'n cael 'i ddefnyddio i gadw gwair yn unig erbyn hyn. Mae e'n hen le digon diddos am wn i . . . ond dyn dierth ŷch chi . . . ddowch chi byth o hyd i'r lle yn y tywyllwch.'

Bu distawrwydd rhyngddynt am funud, a'r dyn dierth yn edrych yn feddylgar i'r tân. Yna dywedodd Tomos Wiliam,

'Fe wn i beth wnawn ni—fe ddihuna i Gwen fy merch; fe fydd rhaid ei dihuno hi beth bynnag os yw'r plentyn i aros 'ma heno, waeth gyda Gwen y bydd rhaid iddo gysgu. Does 'ma ddim ond dau wely. Ac fe all Gwen edrych ar ôl y gât a'r plentyn tra byddwn ni'n mynd lawr i roi'r ceffyl dan do.'

'Na! Na! Rhaid i chi beidio dihuno'ch merch.'

'O, mae Gwen yn gyfarwydd â chael 'i dihuno yn nyfnder nos weithie. Mae 'na bobol yn gweiddi arnon ni i godi yn orie mân y bore ambell waith. Dyna fel mae arnon ni sy'n edrych ar ôl y tollbyrth. Esgusodwch fi, syr.'

Aeth trwy'r drws i ran arall o'r tŷ lle'r oedd ystafell wely ei ferch.

Pan ddaeth yn ôl yr oedd y dyn dierth wedi ailwisgo'i glogyn gwlyb, ac yn awr safai yn edrych i lawr ar y plentyn a gysgai ar y sgiw.

'Fe fydd Gwen yma'n union—mae hi wedi dihuno.'

'Hist!' meddai'r gŵr ifanc ar ei draws, gan droi ei ben yn wyllt i wrando.

'Be sy'n bod?' gofynnodd Tomos Wiliam.

'Glywsoch chi sŵn carnau ceffylau?'

'Naddo fi, syr.'

'Gwrandewch! Dyna'r sŵn! Glywch chi e?'

Gwenodd Tomos Wiliam.

'Clywaf, syr, ac rydyn ni yma'n gyfarwydd â'r sŵn yna ar noson fel heno. Sŵn y gwynt yn ysgwyd y gât yw e.'

Ar y gair cerddodd Gwen Wiliam i mewn i'r ystafell â channwyll ynghyn yn ei llaw. Am foment edrychodd ar y dieithryn ac edrychodd yntau arni hithau.

Yr oedd hi wedi gwisgo mantell wresog dros ei gŵn

nos, ond nid oedd wedi cael amser i glymu ei gwallt, ac yr oedd hwnnw yn awr yn disgyn yn donnau du, gloyw dros ei hysgwyddau. Edrychai'n eithriadol o dlws.

Ar ôl edrych am foment hir ar y dieithryn, syrthiodd ei llygaid ar y plentyn ar y sgiw. Yn sydyn aeth ato a'i godi'n dyner yn ei breichiau.

'Fe gaiff e fynd i 'ngwely i, Nhad,' meddai, ac aeth ag ef allan o'r ystafell.

'Dyna,' meddai Tomos Wiliam, 'fe fydd e'n ddigon diogel gyda Gwen nes down ni'n ôl.'

'Rwy i wedi achosi trafferth a ffwdan mawr i chi heno, Tomos Wiliam; ac os ca i fyw fydda i ddim yn anghofio'ch caredigrwydd chi.'

'Os cewch chi fyw, syr! Nawr, nawr—dyn ifanc fel chi'n siarad fel'na! Dewch, gadewch i ni fynd i roi'r creadur yna dan do.'

Cydiodd ceidwad y tollborth mewn cannwyll drwchus o'r silff ben tân, ac wedi ei rhoi yn y lantarn yn lle'r tamaid oedd ar ôl ynddi, fe'i cynheuodd, a mynd am y drws.

Ond cyn iddo ei agor, cydiodd y dieithryn yn ei fraich.

'Dim golau os gwelwch chi'n dda. Rhowch y cadach 'ma i guddio'r fflam.'

Yr oedd Tomos Wiliam ar fin protestio, ond wedi ail-feddwl fe wnaeth fel y dywedodd y gŵr ifanc.

Aethant allan i'r nos ac i lawr y lôn gyda thalcen y tŷ i mofyn y ceffyl.

'Dilynwch fi,' meddai Tomos Wiliam.

Arweiniodd y gŵr ifanc a'i farch trwy'r tywyllwch dudew i lawr tuag at Bont-y-glyn.

Roedd hi'n dda, meddyliodd, ei fod ef yn gwybod y ffordd, oherwydd ni allent weld dim o'u blaenau. Chwythai'r gwynt oer y glaw yn eu hwynebau, a dyheai Tomos Wiliam am fod yn ôl unwaith eto ar ei aelwyd gynnes, neu yn well fyth yn ei wely, waeth roedd hi, erbyn hyn, yn hwyr iawn.

'Dyma'r beudy,' meddai o'r diwedd. Tynnodd y cadach oddi ar y lantarn. Yng ngolau'r fflam gwelsant hen furiau llwyd y beudy, a'r drws creithiog a'r twll crwn ynddo i roi bys i godi'r gliced. Nid oedd arno glo.

Aeth y ddau i mewn a'r ceffyl gyda nhw. Yr oedd yno ddigonedd o wair sych, ac yng ngolau pŵl y lantarn gallent weld llwydni ar y muriau a'r gwe pry cop yn y corneli ac ar draws y to. Ond nid oedd arwydd fod y glaw'n dod i mewn yn unman.

'Dyna!' meddai Tomos Wiliam. 'Fe fydd yr anifail yn iawn fan yma tan y bore. Dewch syr, i ni gael mynd yn ôl i'r tŷ.'

Trodd y dieithryn ei ben i edrych arno.

'Na, Tomos Wiliam, dwy i ddim yn meddwl y do i'n ôl i'r tŷ gyda chi.'

'Beth?'

Cododd y dieithryn ei law. Yna rhoddodd hi ar ysgwydd Tomos Wiliam.

'Gyfaill—ac rŷch chi wedi bod yn gyfaill i mi heno—beth wyddoch chi amdana i?'

'Y—dim, syr. Y—mi fuswn i'n hoffi cael eich enw chi . . . ond dyw hynny ddim yn bwysig . . . cofiwch.'

Tynhaodd gafael y dyn ifanc ar ei ysgwydd.

'Fe fyddai'n dda gen i allu dweud fy enw wrthych chi,

Tomos Wiliam, ond er eich mwyn chi'ch hunan, gwell i chi beidio â'i wybod.'

'Gwarchod pawb, syr! Pam rŷch chi'n siarad fel'na?'

'Gwell i chi beidio â gwybod fy enw rhag ofn y bydd yna rywrai yn dod i'ch holi chi—a'ch gorfodi chi . . .'

'Wnawn i ddim dweud, syr, wir i chi!'

'Rwy'n eich credu chi. Ond coeliwch chi fi—pe baech chi'n gwybod pwy ydw i mi fyddech chi a'ch merch mewn perygl.'

Edrychodd Tomos Wiliam yn syn arno. Beth oedd cyfrinach y gŵr ifanc oedd wedi dod trwy'r storm at ddollborth Pont-y-glyn â baban bach ar y cyfrwy?

'Dewch,' meddai wedyn, 'gadewch i ni fynd yn ôl i'r tŷ.'

'Na. Mae 'na elynion ar fy ôl i, Tomos Wiliam. Efallai y dôn nhw i holi amdana i heno; ac os dôn nhw a 'nghael i yn eich tŷ chi, yn cael cysgod gennych chi, fydd hi'n go ddrwg arnoch chi, fe alla i fentro dweud wrthoch chi.'

'Ond syr, dwy i ddim yn fodlon gweld gŵr bonheddig fel chi yn cysgu yn yr hen feudy gwael 'ma.'

'Na hidiwch amdana i nawr; ewch yn ôl i'r tŷ, ac os daw rhywun heno . . . y . . . gobeithio y gallwch chi guddio'r plentyn rhagddyn nhw . . . ac os gallwch chi ddweud celwydd . . . efalle y dwedwch chi wrthyn nhw na fu neb tebyg i mi yn agos at y tollborth heno. A beth bynnag ddwedan nhw wrthoch chi, rwy i am i chi 'nghredu i'n dweud wrthych chi nawr mai dymuno drwg i'r plentyn a finne maen nhw.'

Gwrandawai Tomos Wiliam yn syn.

'Fe wna i 'ngore dros y plentyn, syr, o hyn i'r bore. Chaiff neb fynd ag e os galla i help, rwy'n addo i chi. A nawr, os ŷch chi'n benderfynol o gysgu fan yma . . . cystal i fi fynd 'nôl am y tŷ neu fe fydd Gwen yn dechre pryderu.' Trodd Tomos Wiliam am y drws.

'Arhoswch!' meddai'r gŵr bonheddig ifanc. Daeth yn nes at Tomos Wiliam.

'Mae gen i waled fan yma,' meddai. 'Rhag ofn i rywbeth ddigwydd i mi cyn y bore—fe garwn i pe baech chi'n cymryd gofal ohoni. Cym'rwch hi a chadwch hi'n ddiogel . . . '

'Pam rŷch chi'n siarad fel hyn, syr? Does dim yn mynd i ddigwydd i chi!'

'O'r gore, falle'ch bod chi'n iawn. Ond cymrwch hi os gwelwch yn dda.'

Cymerodd Tomos Wiliam hi o'i law. Roedd hi'n drwchus ac yn weddol drwm.

'Mae'r hyn sydd yn honna, Tomos Wiliam, yn perthyn i'r hogyn bach. Pe bai rhywbeth . . . na, ddweda i ddim mo hynna eto; ewch nawr, Tomos Wiliam, mae wedi mynd yn hwyr.'

'Ydy mae. Wel syr, gan eich bod chi'n benderfynol ei bod hi'n fwy diogel i chi yma nag yn y tŷ, fe af fi. Ond rwy i am adael y lantarn i chi.'

'A! Diolch yn fawr. Rown i'n hanner gobeithio y byddech chi'n gwneud hynny.'

'Wel 'te, nos dawch, syr. Fe fydd y waled yma'n eich disgwyl chi pan ddowch chi i fyny i'r tŷ yn y bore.'

'Nos dawch, Tomos Wiliam . . . a . . . diolch yn fawr iawn i chi am bopeth.'

'Peidiwch â sôn, syr.'

Camodd Tomos Wiliam allan trwy ddrws yr hen feudy a thynnodd ef ar ei ôl. Ar unwaith yr oedd yn y tywyllwch dudew unwaith eto, ac am foment ni allai weld dim byd.

Disgynnodd diferion glaw o do'r hen feudy ar ei war a rhedeg yn oer i lawr ei gefn. Tynnodd goler ei got yn dynnach am ei wddf, a cherddodd i fyny'r llwybr at y tollborth. Yr oedd sŵn y gwynt yn y coed uwch ei ben yn frawychus. Cyrhaeddodd y tŷ'n ddiogel. Yr oedd popeth fel y'i gadawodd ac roedd hi'n amlwg nad oedd neb wedi bod yno yn ei absenoldeb. Aeth trwodd i'r ystafell lle'r oedd gwely Gwen. Agorodd y drws yn ddistaw bach. Yr oedd cannwyll ynghyn ar y bwrdd crwn yn ymyl y gwely. Yr oedd Gwen a'r plentyn bach yn cysgu'n dawel!

Safodd Tomos Wiliam am funud yn edrych i lawr ar y ddau ben ar y gobennydd. Rhaid bod Gwen wedi mynd i orwedd yn ymyl y bychan yn y gwely i'w gadw'n gynnes—ac roedd hi wedi mynd yn ôl i gysgu heb yn wybod iddi ei hun! Gwenodd wrth edrych i lawr ar y ddau—y pen bach cyrliog, a'r pen â'r gwallt du, trwchus, oedd yn ffrâm i wyneb prydferth ei ferch.

Yna meddyliodd ei bod yn hen bryd iddo yntau fynd i'r cae nos hefyd!

Aeth yn ôl i'r gegin gan gau'r drws yn ddistaw. Roedd y tân yn fyw o hyd. Eisteddodd ar y sgiw a thynnodd allan o'i boced y waled a gawsai gan y gŵr ifanc yn y beudy.

19

Yr oedd clasb arian, cerfiedig arni, a bu Tomos Wiliam yn edrych yn hir ar hwnnw. Daeth arno awydd agor y waled i weld beth oedd ynddi. Ond meddyliodd wedyn nad oedd ei chynnwys o unrhyw fusnes iddo ef. Yn y bore byddai'r dyn ifanc yn dod i'w hawlio . . .

Yng ngwres y tân daeth awydd cysgu drosto. Cododd a rhoi'r waled yn nrôr y seld lle'r arferai gadw ei bethau pwysig ei hun bob amser. Yr oedd clo ar y drôr hwnnw, ac yn awr roedd yr allwedd yn ddiogel yn ei boced. Cerddodd yn araf tuag at ei ystafell wely. Ond cyn cyrraedd y drws stopiodd yn stond i wrando. Uwchlaw sŵn y gwynt a'r storm y tu allan gallai ei glustiau cyfarwydd glywed sŵn—sŵn carnau ceffylau yn dod yn nes! Dechreuodd ei galon guro'n gyflymach. Yr oedd bysedd yr hen gloc mawr ar fur y gegin ar hanner awr wedi un. Pwy allai fod ar daith mor hwyr?

Daeth y sŵn carnau yn nes. Yna clywodd sŵn lleisiau cymysg y tu allan. Yna un llais garw'n gweiddi—'*GATE!*'

Pennod 2

Cymerodd Tomos Wiliam ei amser y tro hwn. Yr oedd rhaid iddo ddod â lantarn arall allan o'r cwtsh-dan-stâr, ac wrth gwrs, roedd rhaid ei chynnau. Ar ôl gweld pabwyr y gannwyll yn fflam aeth at y drws.

'*Gate there!*' gwaeddodd llais o'r tu allan cyn iddo gael amser i'w agor. Cyn gynted ag yr aeth Tomos

Wiliam allan drwy'r drws gwelodd bedwar marchog yn disgwyl yn y glaw.

'Tyrd o 'na'r cythraul!' gwaeddodd un ohonynt.

'Maddeuwch i fi, syr,' meddai Tomos Wiliam, 'ond rwy'n gwneud fy ngorau.'

'Wyt ti wir! Roeddet ti'n hir iawn yn dod i agor y glwyd . . .'

'Ond mae'n hwyr, syr, ac mae'n bryd i bawb fod yn 'u gwely . . .'

'Doeddet ti ddim yn dy wely oeddet ti?' meddai'r dyn oedd yn ymddangos fel petai'n arweinydd y pedwar.

Teimlodd Tomos Wiliam ofn yn ei galon. Roedd y dyn wedi sylwi ei fod ar ei draed yn hwyr, pan ddylai fod yn ei wely. Ai'r rhain oedd y dynion a ofnai'r dyn ifanc, dieithr a oedd yn cysgu yn yr hen feudy ger Pont-y-glyn? Fe gafodd wybod yn fuan iawn.

'Oes rhywun wedi mynd drwy'r glwyd 'ma ryw awr yn ôl?' gofynnodd yr un dyn eto.

'Na, syr,' meddai Tomos Wiliam, heb betruso dim, 'does 'na neb wedi mynd trwy'r glwyd ers pan aeth y Mêl trwodd dros ddwy awr yn ôl.'

Edrychodd y pedwar dieithryn ar ei gilydd.

'Ond . . .' meddai'r arweinydd, 'mae'n *rhaid* 'i fod e wedi mynd y ffordd yma! Does yna ddim un ffordd arall. Fe ddwedodd ceidwad gât Pen Bryn nad oedd e ddim wedi mynd ffordd honno, felly mae'n rhaid mai ffordd yma y daeth e, a rhaid 'i fod e wedi mynd trwy'r gât yma. Wyt ti'n dweud celwydd, dwed?'—gan droi'n chwyrn at Tomos Wiliam.

'Syr!' meddai hwnnw, gan godi ei lais. 'Dwy i ddim yn mynd i aros fan yma yn y glaw i ddadlau â chi. Os ydych chi am fynd trwy'r gât, mae'n well i chi fynd nawr, waeth rwy i am fynd i 'ngwely.'

'Ei di ddim i'r gwely nes bydda i wedi gneud yn siŵr . . .' meddai'r arweinydd. Ac yn sydyn disgynnodd oddi ar gefn ei geffyl. Gwnaeth y tri arall yr un peth. Mewn winciad roedd y tri wedi closio at Tomos Wiliam, ac roedd golwg fygythiol arnyn nhw.

'Does neb wedi mynd trwy'r glwyd ers orie,' meddai Tomos Wiliam wedyn, a theimlai'n falch ei fod yn dweud y gwir! Doedd y gŵr ifanc a oedd i lawr yn y beudy ddim wedi mynd *trwy'r* glwyd.

'Efallai naddo fe,' meddai'r un llais eto, 'efalle 'i fod e yn y tŷ gyda ti. M—m—m? Ydy e a'r plentyn yn y tŷ?'

Fe geisiodd Tomos Wiliam ddweud rhywbeth ond tagodd ei lais yn ei wddf, ac ni allai yngan gair.

'A!' meddai'r dyn a oedd wedi gwneud y siarad i gyd, gan dynnu'r lantarn o'i law. 'Rwyt ti wedi mynd yn dawel iawn, on'd wyt ti? Ydyn nhw yn y tŷ?'

'Na!' meddai o'r diwedd, a'i lais yn floesg.

'Fe gawn ni weld, 'y machgen gwyn i! Arwain y ffordd i'r tŷ.'

Fe deimlai Tomos Wiliam fel dweud wrtho am fynd i gythraul ag e, ond gwyddai na wnâi hynny ond gwneud y dyn yn fwy drwgdybus.

'Does gynnoch chi ddim hawl . . .' dechreuodd.

Chwarddodd y dyn. 'Dim hawl! Nagoes e wir!' meddai'n wawdlyd. 'Fe ddangoswn ni i ti. Cydiwch ynddo fe!'

Cydiodd dau o'r dynion ymhob braich iddo a'i fartsio'n gyflym am y tŷ. A chan fod pedwar ohonynt, gwyddai Tomos Wiliam nad oedd dim y gallai ef ei wneud i'w rhwystro.

Yna roedden nhw yn y gegin.

'Does 'na neb yma fel y gwelwch chi,' meddai Tomos Wiliam.

Cafodd gyfle yn awr i weld y dihirod yn iawn. Edrychodd yn gyntaf ar y dyn oedd wedi bod yn siarad drwy'r amser. Yr oedd ganddo got drwchus a chostus amdano, ac er ei bod yn wlyb domen, gallai weld ei bod yn got hardd iawn. Yr oedd y dyn ei hunan yn dew ac yn goch ei wyneb. Ond ei lygaid a dynnai fwyaf o sylw Tomos Wiliam y funud honno. Llygaid creulon, cyfrwys oedden nhw.

Am y lleill roedd hi'n amlwg mai gweision o ryw fath i'r gŵr bonheddig oedden nhw; roedd eu dillad yn fwy garw a'u hwynebau'n fwy bawlyd. 'Adar go frith yw'r rhain hefyd,' meddyliodd Tomos Wiliam.

'Rydyn ni am weld pob ystafell yn y tŷ 'ma,' meddai'r gŵr bonheddig.

'Does yma ddim ond tair ystafell,' meddai Tomos Wiliam, 'y gegin 'ma—ac fel y gwelwch chi, does neb ond ni ynddi hi; ac os dewch chi drwodd fan hyn, fe gewch weld y llall.' Arweiniodd y ffordd i'r penucha lle'r oedd ei ystafell wely ef ei hun ac agorodd y drws. 'Edrychwch ym mhobman—o dan y gwely—y cwpwrth 'na.'

Ond buan y gwelsant nad oedd neb yn yr ystafell fechan.

23

'Nawr 'te—y stafell arall,' meddai'r gŵr bonheddig. Oerodd Tomos Wiliam trwyddo i gyd. Roedd e wedi bod yn ofni'r foment yma, ac yn awr, dyma hi wedi dod.

'Ond stafell fy merch yw honno! Mae hi'n cysgu. Chewch chi ddim tarfu arni hi yr amser 'ma o'r nos!'

'Na chawn ni wir!' meddai'r gŵr bonheddig. Yr oedd gwên fileinig ar ei wyneb. 'Na chawn ni wir!' meddai wedyn.

Ond yn sydyn yr oedd Tomos Wiliam wedi cael digon. Roedd e'n benderfynol o amddiffyn y plentyn diniwed oedd yn cysgu'n dawel yn ystafell wely ei ferch.

'Mi fydda i'n rhoi'r gyfraith arnoch chi os na adewch chi'r tŷ 'ma ar unwaith,' meddai.

Chwarddodd y gŵr bonheddig tew yn isel. Chwarddodd ei weision hefyd a daeth un ohonyn nhw yn fygythiol tuag ato. Cafodd groeso annisgwyl. Fe drawodd Tomos Wiliam ef â'i ddwrn yn ei wyneb nes ei fod yn ei hyd ar y llawr. Digwyddodd pethau'n gyflym wedyn. Yr eiliad nesaf yr oedd Tomos Wiliam ei hun yn mesur ei hyd ar y llawr. Yr oedd rhywun wedi ei daro ar ei ben â rhywbeth. Gorweddai yno am dipyn heb allu gweld dim ond sêr o flaen ei lygaid. Yna roedd rhywun wedi ei dynnu'n drwsgl ar ei draed a'i wthio yn erbyn y wal fel na allai symud gewyn. Pan allai weld yn gliriach sylwodd fod dau o ddynion y gŵr bonheddig yn ei ddal. Yr oedd y llall ar ei eistedd ar y llawr â gwaed yn rhedeg o'i drwyn. Gwelodd y gŵr bonheddig yn mynd at ddrws ystafell wely Gwen ei ferch. Caeodd ei lygaid a gweddïodd am nerth i allu rhwystro'r dihirod yma rhag mynd â'r plentyn. Rywfodd neu 'i gilydd fe deimlai'n siŵr mai'r plentyn, ac nid y gŵr ifanc yn y beudy, oedd yn fwyaf pwysig iddyn nhw.

Gwelodd y dyn tew'n agor drws ystafell wely ei ferch. Caeodd ei lygaid eto gan ddisgwyl clywed gwaedd fuddugoliaethus y dihiryn ar ôl gweld y plentyn. Ond yn rhyfedd iawn ni ddigwyddodd dim. Am funud bu'r gŵr bonheddig yn edrych yn graff i mewn i'r ystafell, ond nid aeth i mewn. Yna, er syndod i Tomos Wiliam, daeth yn ôl i'r gegin.

'Does yma neb,' meddai wrth y lleill. 'Dewch, gadewch i ni fynd; rydyn ni wedi gwastraffu digon o amser fan yma'n barod. Agor y glwyd i ni, was!'

Tynnodd ddarn o arian o'i boced a'i daflu ar y bwrdd. Oni bai fod y ddau ddihiryn yn dal yn dynn wrth ei freichiau buasai Tomos Wiliam wedi ei daflu'n ôl ato.

Erbyn hyn roedd y dyn yr oedd Tomos Wiliam wedi rhoi ergyd iddo wedi codi o'r llawr, ac edrychai'n filain arno.

Cyn gynted ag y gadawodd y ddau arall ef yn rhydd aeth Tomos Wiliam am y drws. Yr oedd yn awyddus iawn i gael gwared â'r dynion ofnadwy yma o'i fwthyn. Cydiodd yn y lantarn ac aeth allan i'r tywyllwch. Daeth y pedwar dieithryn ar ei ôl.

Wrth agor y glwyd fe geisiai ddyfalu sut yn y byd nad oedd y gŵr bonheddig wedi gweld y baban yn y gwely. Yna taflodd y glwyd ar agor led y pen ac aeth y pedwar dihiryn oedd wedi ei gam-drin trwyddi ar gefnau eu ceffylau. Wrth fynd fe geisiodd un ohonynt roi cic i

Tomos Wiliam yn ei wyneb. Yng ngolau'r lantarn gwelodd mai'r un oedd wedi cael ergyd ar ei drwyn oedd hwnnw. Yn ffodus iawn roedd ei wyneb allan o gyrraedd esgid drom y dyn ar gefn y ceffyl.

Ar ôl i sŵn y ceffylau gael ei foddi gan sŵn y storm, aeth Tomos Wiliam yn ôl yn frysiog am y tŷ. Aeth yn syth i ystafell wely Gwen ei ferch. Gallai weld Gwen yn gorwedd yno fel pe bai'n cysgu'n drwm. Sut oedd hi wedi gallu cysgu trwy'r holl sŵn oedd wedi bod yn y tŷ? Nid oedd sôn am y baban! Aeth yn nes at y gwely. Agorodd Gwen ei llygaid led y pen.

'Nhad! Ydyn nhw wedi mynd?'

'Ydyn. Oeddet ti ar ddi-hun? Ble—ble mae'r plentyn?'

Tynnodd Gwen y flanced yn ôl, ac yno o dan y dillad yr oedd e—yn dal i gysgu'n dawel.

'Fe dynnaist y dillad drosto cyn i'r dyn ofnadw 'na ddod mewn?' meddai Tomos Wiliam, gan wenu.

'Do, roeddwn i'n gallu clywed y cyfan oedd yn mynd ymla'n, Nhad, ac rown i'n gofidio amdanoch chi, ac roeddwn i'n gofidio y bydde'r un bach yn dihuno . . .'

'Diolch byth na wnaeth e, 'merch i. Rwy'n siŵr—er nad oes gen i ddim i brofi—mai ar ôl y bychan 'ma yr oedden nhw'n benna. Druan bach, beth yw 'i hanes e ys gwn i, a beth sy'n mynd i ddod ohono fe?'

'Ydy e'n mynd i aros gyda ni, Nhad?'

'Dim ond tan y bore, 'merch i. Fe fydd y dyn ifanc yna sy'n gorwedd ym meudy Pont-y-glyn yn dod yn y bore i fynd ag e.'

'O?' Swniai Gwen yn siomedig.

'Mae hi'n berfedd nos, 'merch i. Gad i ni fynd i gysgu nawr—fe ddaw'r bore'n llawer rhy fuan . . .'

Pennod 3

Er iddo fynd i'w wely'n hwyr iawn y noson cynt, fe ddeffrodd Tomos Wiliam gyda'r dydd fore trannoeth. Y peth cyntaf a deimlodd ar ôl dihuno oedd cur ofnadwy yn ei ben. Yna cofiodd am yr ergyd a gafodd y noson gynt. Bu'n gorwedd yn ei unfan am dipyn yn chwalu meddyliau. Yr oedd pobman yn ddistaw. Roedd storm y noson gynt wedi cilio, meddyliodd, oherwydd ni allai glywed na sŵn gwynt na glaw y tu allan i'r ffenest.

Yna daeth holl ddigwyddiadau cyffrous y noson gynt yn ôl i'w gof. Neidiodd o'i wely a gwisgo amdano ar frys. Roedd y boen yn ei ben yn ddifrifol yn awr, ond gwyddai na allai orwedd yn y gwely funud yn hwy. Byddai'n dda, meddyliodd, pan fyddai'r marchog ifanc â'r clogyn du wedi dod i mofyn y baban a mynd ag ef i ble bynnag roedden nhw'n bwriadu mynd. Yna fe allai ef a Gwen deimlo'n ddiogel unwaith eto. Aeth allan i'r gegin. Nid oedd Gwen wedi codi. Edrychodd ar y cloc. Hanner awr wedi saith. Fe ddylai'r gŵr ifanc fod wedi dod i fyny o'r beudy erbyn hyn. Ond efallai iddo fod ar ddi-hun y rhan fwyaf o'r nos a syrthio i gysgu yn y bore.

Aeth ias oer trwy ei gefn, ac aeth yn syth at y lle tân. Cyn mynd i gysgu'r noson gynt roedd e wedi enhuddo'r tân â mawn. Yn ystod y nos roedd y mawn wedi mudlosgi'n araf, ond yn awr pan roddodd Tomos Wiliam broc iddo, fe neidiodd y fflamau ohono. Taflodd goed sych ar y cyfan. Yna aeth i roi dŵr oer yn y tegell du ar y pentan.

Yn sydyn meddyliodd am rywbeth a wnaeth iddo anghofio'r tegell. Beth os oedd y gŵr ifanc yn yr hen feudy wedi colli'r ffordd, neu'n methu dod o hyd i'r llwybr i fyny o Bont-y-glyn? Doedd hi ddim yn hawdd i ddieithryn hollol ddod o hyd i lwybr mor igam-ogam â hwnnw, yn enwedig yr amser hwnnw o'r flwyddyn â'r dail crin o'r coed yn cuddio'r llawr ym mhobman bron.

Dechreuodd Tomos Wiliam deimlo'n anesmwyth iawn. Gwell iddo fynd i lawr i edrych amdano ar unwaith. Doedd hi ddim yn debyg y deuai neb o bwys heibio ar y ffordd fawr mor fore, a phe bai ef yn mynd i lawr i'r hen feudy i'w mofyn ar unwaith fe allai gael gwared ohono ef a'r baban cyn bod neb yn dod heibio.

Ond cyn mynd, aeth i mewn yn ddistaw i ystafell wely Gwen. Yr oedd hi a'r baban yn cysgu. Gwenodd wrth weld ei bod hi, rywbryd yn ystod y nos, wedi rhoi ei braich amdano. Ysgydwodd ysgwydd Gwen yn ysgafn i'w dihuno, ac ar ôl dweud wrthi beth oedd ei fwriad, aeth yn ôl i'r gegin.

Aeth wedyn yn frysiog allan o'r tŷ ac i lawr y llwybr a oedd yn arwain i hen feudy Pont-y-glyn. Er fod y storm wedi gostegu roedd olion ohoni i'w gweld ym mhobman. Roedd y dail crin wedi eu hysgwyd o'r coed gan y gwynt, ac yn awr gorweddent yn garped gwlyb o dan ei draed. Roedd pyllau dŵr yma a thraw, ac yn y ceunant gallai glywed sŵn yr afon. Gwyddai wrth y sŵn hwnnw fod llif mawr ynddi—wedi ei achosi gan y glaw a ddisgynnodd yn ystod y nos. Yr oedd y llwybr o dan ei draed yn wlyb ac yn llithrig, ac unwaith neu ddwy ar y ffordd i lawr bu bron â chwympo.

Ond daeth o'r diwedd at y beudy llwyd yn ymyl yr afon. Yr oedd y drws ynghau.

Agorodd Tomos Wiliam y drws. 'Hylô 'na!' gwaeddodd wrth gerdded i mewn i'r hanner tywyllwch. Ond ni chafodd unrhyw ateb. Edrychodd o'i gwmpas. Gallai weld y gwair a phopeth fel yr oedd y noson gynt, ond nid oedd sôn o gwbwl am y dyn dierth na'r ceffyl.

'Rhaid 'u bod nhw tu allan 'ma yn rhywle,' meddai wrtho'i hun.

Aeth allan i'r drws ac edrych i fyny ac i lawr. Ond nid oedd neb yn y golwg yn unman. Dechreuodd deimlo'n gynhyrfus. Ble gallai'r dyn â'r ceffyl fod wedi mynd? Doedden nhw ddim wedi dod i fyny'r llwybr at y tollborth, roedd hynny'n sicr, neu byddai wedi gweld ôl pedolau yn y pridd gwlyb. Ac o'u blaen nid oedd ond yr afon wedi chwyddo'n fawr gan y glaw. Doedd bosib eu bod wedi mentro ei chroesi?

Aeth i lawr at geulan yr afon. Yn y dŵr llwyd gallai weld brigau a dail crin yn rhuthro heibio. Yna gwelodd ôl pedolau'r ceffyl yn glir. Dilynodd yr ôl hyd at ymyl y dŵr ac yno'r oedden nhw'n gorffen. Fe geisiodd graffu ar y geulan yr ochr arall i weld a oedd arwydd eu bod wedi cyrraedd yno'n ddiogel. Gwelodd doriad yn y geulan fel pe bai'r pridd wedi ei sathru a'i rwygo. Fe allai fod wedi ei wneud gan y glaw. Ond hefyd, gallai fod wedi ei wneud gan geffyl wrth ddringo i fyny o'r dŵr.

Aeth Tomos Wiliam yn ôl eto i'r beudy. A oedd y gŵr ifanc wedi croesi'r afon yn wir? Os oedd, yr oedd wedi mentro'i fywyd. A oedd e wedi cyrraedd y lan yr ochr draw yn ddiogel? Fe allai ef a'i geffyl fod wedi eu sgubo ymaith gan y llif chwyrn.

Y tu mewn i'r beudy fe ddaeth o hyd i'r lantarn a adawodd gyda'r dieithryn y noson cynt. Nid oedd golau ynddi yn awr.

Cydiodd Tomos Wiliam ynddi ac wedi edrych yn fanwl, gwelodd fod darn o bapur y tu mewn iddi. Agorodd ffenest y lantarn a thynnu'r darn papur allan. Roedd ei law yn crynu. Aeth ag ef allan i ben y drws i gael golau. Roedd ysgrifen aneglur mewn pensil ar y papur. Dechreuodd ddarllen.

'Yn ystod y nos fe gefais gyfle i feddwl ac ailfeddwl ynghylch pethau, a deuthum i'r penderfyniad mai'r unig beth i'w wneud yw gadael y baban yn eich gofal chi a'ch merch. Pe bai yn dod gam ymhellach gyda mi byddai ei fywyd mewn perygl enbyd. Gwn y byddwch chi eich dau'n gofalu amdano fel pe bai'n blentyn i chi eich hun. Mae digon yn y waled a adewais yn eich gofal i dalu am ei fwyd a'i ddillad nes dof fi'n ôl i'w mofyn. Pan ddof drachefn fe gewch chithau eich talu'n llawn am ei gadw, ac am eich caredigrwydd tuag ataf innau. Ni allaf egluro popeth i chi yn awr; digon yw dweud fod y baban o dras uchel, a bod yna bobl a fyddai'n hoffi ei weld yn farw. Ei enw yw Arthur.

'Mae hefyd yn y waled amlen dan sêl. Yr wyf yn eich cynghori—er eich lles eich hun—i beidio agor honno nes dof fi'n ôl. Ond . . .' Yn y fan yna roedd y sgrifen wedi gorffen yn sydyn, fel pe bai'r sgrifennwr wedi cael ei ddistyrbio gan ryw sŵn neu rywbeth.

Safodd Tomos Wiliam yn ddryslyd yn nrws y beudy. Y baban! Roedd y dyn ifanc wedi mynd heb y baban! A beth os oedd e wedi boddi yn yr afon, neu wedi cael ei ladd gan y rhai a oedd ar ei ôl yn ystod y nos?

Brysiodd i fyny'r llwybr gwlyb a serth i gyfeiriad y tollborth.

Wrth nesáu at y tŷ clywai sŵn chwerthin. Aeth i mewn a gweld fod Gwen yn y gegin. Yn ei chôl yr oedd y baban—ar ddi-hun yn awr ac yn gwneud sŵn bach hapus yn ei wddf, nes peri i Gwen chwerthin am ei ben.

'Nhad, on'd yw e'n un bach annwyl? Mae e'n dechre siarad, cofiwch, er nad ydw i ddim yn 'i ddeall e'n iawn 'to. Fe fuodd e'n crio ar ôl dihuno, ond wedi i fi roi tipyn o laeth cynnes iddo fe mae e wedi bod yn iawn. Y . . . ble mae'r . . . y . . . dyn ddaeth ag e 'te?'

'Doedd e ddim yna, Gwen.'

'Ddim yna, Nhad? Ond . . . y . . . wel, beth sy'n mynd i ddigwydd nawr 'te?'

Ysgydwodd Tomos Wiliam ei ben.

'Wn i ddim, 'merch i . . .'

'Beth sy wedi digwydd iddo fe, Nhad?'

Ysgydwodd Tomos Wiliam ei ben eto. 'Dyna garwn i wybod. Mae e wedi dianc ar draws yr afon, os nad yw e wedi cael 'i gario i ffwrdd gyda'r llif. Mae hwn yn fusnes difrifol iawn, Gwen fach, rwy'n ofni. Fe adawodd y dyn ifanc nodyn yn y lantarn.'

'Beth oedd e'n ddweud, Nhad?'

'Yn gofyn i ni ofalu am y bychan nes bydde fe'n dod yn 'i ôl. Dwy i ddim yn hoffi'r fusnes o gwbwl. Mae 'na bobol—rheina fuodd 'ma neithiwr—yn ceisio dod o hyd i'r plentyn i wneud niwed iddo. A thra bydd e 'ma gyda ni, fe fydd ein bywyde ninne mewn perygl hefyd.'

'Ond rhaid i ni wneud ein gore i' gadw fe oddi wrth y dynion 'na fuodd yma neithiwr, Nhad.'

'Rhaid, 'merch i. Chaiff y bychan ddim cam os gallwn ni 'u rhwystro nhw. Pe baen ni'n gallu 'i gadw fe 'ma heb i neb wybod . . . Ond sut y gallwn ni wneud hynny? Mae'r tŷ yma yn ymyl y briffordd a chymaint o bobol yn mynd a dod, nos a dydd.'

'Fe wna i 'ngore i' gadw fe yn y cefn o'r golwg, Nhad, nes daw'r dyn ifanc 'na'n ôl i' mofyn e. Ond, Nhad, wyddon ni ddim mo'i enw fe hyd yn oed.'

'Y plentyn? Arthur yw 'i enw fe.'

Ar y gair trodd y plentyn ei ben i wrando ar Tomos Wiliam.

'Arthur!' meddai Gwen gan ei godi fry yn ei breichiau.

Wrth weld y ddau mor hapus aeth Tomos Wiliam i agor drôr y seld lle'r oedd y waled a gawsai gan y dyn dierth y noson gynt. Roedd e wedi penderfynu peidio â dweud dim mwy wrth Gwen am gynnwys llythyr y gŵr ifanc. Tybiai rywsut ei bod yn well iddi beidio â gwybod.

Aeth â'r waled i'w ystafell wely. Wedi cau drws yr ystafell, eisteddodd ar y gwely.

Edrychodd ar y waled am foment cyn ei hagor. Yna gwasgodd ei fawd ar y clo ac agorodd ar unwaith. Gwelodd y papurau glân, newydd—papurau pumpunt bob un! Nid oedd Tomos Wiliam erioed wedi dal cymaint o gyfoeth yn ei law ar y tro. Yn wir, er ei fod yn cadw'r tollborth, ac yn trafod arian bob dydd, dim ond unwaith o'r blaen roedd e wedi gweld papur pumpunt. Dechreuodd gyfri—'Un, dau, tri,' . . . hyd at ugain. Can punt! Dyna bron ddigon o arian iddo allu riteirio a byw'n weddol gyfforddus am y gweddill o'i oes! Ond gwyddai na fyddai'n cyffwrdd â'r arian er ei les ei hun—byth.

Ym mhoced arall y waled yr oedd amlen dan sêl. Fe fu'n petruso'n hir uwchben honno. Fe ddylai ei hagor er mwyn dod i wybod rhagor am hynt a helynt y plentyn a oedd yn awr yng ngofal Gwen ac yntau. Roedd ganddo hawl i wybod pwy oedd, a phwy oedd yn ceisio gwneud drwg iddo, a pham. A'r tu mewn i'r amlen yma yr oedd y wybodaeth a geisiai. Ac nid oedd llythyr y dyn ifanc oedd wedi diflannu yn dweud yn bendant wrtho am beidio â'i hagor. Ond cofiodd eiriau'r llythyr . . . 'gwell i chi beidio . . . er eich lles eich hun.'

'Ond pe bawn i'n gwybod,' meddai wrtho'i hunan, 'mae'n siŵr y gallwn i wneud rhagor i helpu'r un bach.'

Yna neidiodd ar ei draed pan glywodd waedd y tu allan.

'*Gate!*'

Rhoddodd yr arian a'r amlen yn ôl yn frysiog yn y waled ac aeth â hi i ddrôr y seld. Nid oedd sôn am Gwen a'r plentyn. Ond gwyddai mai wedi mynd allan i'r cefn i ymguddio oedden nhw.

Aeth allan i'r heol.

Gwelodd ar unwaith mai'r gŵr tew a fu yn ei boeni y noson cynt oedd un o'r tri a safai ar eu ceffylau wrth y glwyd. Milwyr oedd y ddau arall. Curai ei galon yn gyflym. Beth petai'r baban yn dechrau crio yn awr? Gan ei bod yn fore tawel ar ôl y storm, byddai'r tri yn siŵr o'i glywed. Yna byddai ef—Tomos Wiliam—mewn trwbwl mawr iawn.

Y gŵr bonheddig siaradodd gyntaf. Sylwodd Tomos Wiliam ei fod yn edrych yn fwy sarrug hyd yn oed na'r noson cynt.

'Dyma fi wedi dod 'nôl i ofyn i ti unwaith eto a aeth rhywun trwy'r glwyd 'ma neithiwr beth amser cyn i ni gyrraedd?'

Teimlai Tomos Wiliam unwaith eto—wrth gofio'r ffordd roedd hwn wedi ei drin—fel dweud wrtho am fynd i gythraul ag ef. Ond penderfynodd fod yn gwrtais rhag ofn.

'Dim neb, syr. Dim enaid byw.'

'Rhaid i ti fod yn ofalus,' meddai un o'r milwyr mewn llais awdurdodol. 'Os wyt ti'n dweud celwydd fe fyddi di'n cael dy gosbi'n drwm. Mae 'na Wyddel—rebel o Iwerddon—wedi dwyn baban—plentyn bach chwaer y gŵr bonheddig 'ma . . .'

'Do,' meddai'r gŵr bonheddig ar ei draws, 'ac roedden ni ar fin 'i ddal e neithiwr, pan ddiflannodd e

. . . fe'i gwelwyd e ddwy filltir i fyny'r ffordd o'r fan hyn—yn dod i'r cyfeiriad yma. Wedyn fe ddiflannodd. Nawr, unwaith eto—wyt ti'n dweud nad aeth neb trwy'r glwyd?'

Fe deimlai Tomos Wiliam yn gythryblus iawn. Oedd stori'r milwr yn wir? A oedd e wedi helpu 'Irish rebel' i ddianc? Ac a oedd hwnnw wedi dwyn plentyn chwaer y dyn tew? Os felly, fe allai gael cosb ofnadwy am ei helpu i ddianc. Am foment petrusodd. Byddai'n dda ganddo gael dweud yr holl hanes am yr hyn oedd wedi digwydd wrth y bobl yma—wrth rywun. Roedd y marchog ifanc â'r clogyn du wedi diflannu—diflannu a'i adael ef a'i ferch i ofalu am y plentyn bach, a oedd, yn ôl y bobl yma, wedi cael ei ddwyn! Onid ei ddyletswydd oedd rhoi'r bychan yn ôl i'w ewythr yn awr?

Edrychodd i fyw llygaid oeraidd y gŵr bonheddig tew.

'Wel?' gofynnodd un o'r milwyr yn ddiamynedd.

'Rwy i wedi dweud sawl gwaith erbyn hyn, syr—aeth neb trwy'r glwyd.' Roedd llais Tomos Wiliam yn farwaidd ond yn benderfynol.

Dyna ei gyfle olaf i ddweud y gwir wedi mynd, meddyliodd. Pam roedd e wedi cadw'r gyfrinach? Pobl y gyfraith oedd y rhain, ac roedd hi'n ddyletswydd arno barchu swyddogion y gyfraith. A dyma fe'n cuddio plentyn! Plentyn wedi ei ddwyn.

Ond yn ei galon fe wyddai Tomos Wiliam fod y baban mewn perygl oddi wrth y bobl yma, a dim ond fe a Gwen oedd yn sefyll rhyngddynt a'i gael. Yn ystod yr amser y bu ef yn geidwad y tollborth roedd Tomos

Wiliam wedi gweld llawer math a llawer gradd o bobl yn mynd heibio, ac roedd e wedi arfer â darllen eu hwynebau. 'Mae cymeriad dyn yn ei wyneb,' dyna a ddywedai yn aml. Ac roedd e'n siŵr nad oedd e ddim wedi darllen dim byd da yn wyneb y gŵr bonhedddig tew a safai o'i flaen yn awr. Roedd rhyw reddf yn dweud wrtho nad oedd y stori am y rebel yn dwyn plentyn yn hollol wir.

'Oes yna lôn neu ffordd yn troi o'r ffordd fawr yn ymyl yn rhywle?' gofynnodd un o'r milwyr.

'Oes,' meddai Tomos Wiliam, 'mae yna lôn yn troi gyda thalcen y tŷ fan yma. Mae'n arwain i lawr at yr afon, ac fe fyddai'r hen Isaac Huws y Porthmon yn arfer gyrru ei wartheg ffordd yma pan na fyddai llif yn yr afon.'

'Efallai mai ffordd yna yr aeth e,' meddai milwr arall. Ond ysgwyd ei ben a wnâi'r gŵr bonheddig. Serch hynny dwedodd, 'O'r gore, dewch i ni fynd i lawr ffordd yna rhag ofn. Rhaid i ni beidio gadael yr un garreg heb 'i throi.'

Yna roedd y pedwar wedi mynd i lawr y lôn fach i gyfeiriad yr afon. 'Beth pe baen nhw wedi meddwl am hynny neithiwr?' meddai Tomos Wiliam wrth fynd yn ôl i'r tŷ. Fe deimlai'n ddiolchgar iawn ei fod ef wedi bod lawr yn yr hen feudy o'u blaenau. Beth pe baen nhw wedi dod o hyd i'r lantarn a'r llythyr ynddi? Gwarchod pawb!

'Ydyn nhw wedi mynd, Nhad?' gofynnodd Gwen.

'Ydyn, 'merch i. Ond mi fyddan nhw yn ôl cyn bo hir

nawr. Rhaid i ti fynd â'r un bach mas i'r ardd pan glywi di sŵn carnau, rhag ofn.'

'Ble maen nhw nawr 'te, Nhad?'

'Wedi mynd lawr am yr hen feudy wrth Bont-y-glyn.'

'Fan'ny roedd e'n cysgu neithiwr!'

'Ie, Gwen. Wyddost ti—wn i ddim beth fydd diwedd yr holl helynt 'ma. Mae'r gŵr ifanc 'na wedi'n gosod ni mewn sefyllfa anodd iawn. Beth os daw e'n ôl? Beth wedyn? A beth os yw e wedi boddi neu wedi ei saethu . . .'

'O na!' meddai Gwen.

'Na,' atebodd Tomos Wiliam, 'mae gen i syniad fod y gŵr ifanc yna yn fyw ac yn iach yn rhywle. Rwy'n rhyw gredu fod eisie mwy na llif mewn afon, milwyr ac yn y blaen i gael gwared arno fe!'

Yna cododd Tomos Wiliam ei ben i wrando. Roedd sŵn corn yn canu yn y pellter.

'Y Mêl! Rhaid i ni frysio i agor y glwyd, Gwen. Wna hi ddim mo'r tro i gadw'r Mêl i aros, neu fe fydd Robert Ifan y Gyrrwr allan o'i go.'

Rhedodd allan i'r ffordd. Edrychodd Gwen ar y cloc. Hanner awr wedi naw. Roedd y Mêl yn brydlon fel arfer—i'r funud.

'Hylô 'na!' Roedd Tomos Wiliam wedi clywed sŵn carnau ceffylau yn dod i fyny o gyfeiriad yr afon, ac roedd e'n disgwyl am y waedd yna. Aeth allan ar unwaith. Roedd eu ceffylau'n mygu.

'Rydyn ni wedi gweld olion traed dau ddyn lawr yn ymyl yr hen feudy,' meddai'r gŵr bonheddig.

'O?' meddai Tomos Wiliam.

'Mae yna ôl carnau ceffyl hefyd,' meddai un o'r milwyr.

'Y . . .' meddai'r dyn tew, 'rwy i am ddiolch i ti am ddangos y lôn i ni. Rwy'n siŵr erbyn hyn mai lawr yn yr hen feudy yr oedd e neithiwr, ac mae'n ddrwg gen i 'mod i wedi dy amau di . . .'

Daeth hanner gwên i wyneb Tomos Wiliam. Beth petai'r gŵr bonheddig yn gwybod mai olion ei draed ef oedd un o'r rhai a welsant yn ymyl yr hen feudy? Ond aeth y gŵr bonheddig ymlaen eto.

'Mae'n siŵr fod rhywun yn yr ardal yma wedi ei helpu. Mae'n bosib 'i fod e wedi gadael y baban gyda rhywun . . .'

Yn awr yr oedd Tomos Wiliam yn chwysu eto. A oedd ei wyneb yn dangos mai ef oedd wedi helpu'r ffoadur ac wedi derbyn y baban?

'Mi fydda i'n gadael un o'm gweision yn y pentre i gadw llygad amdano fe neu'r plentyn. Ac os bydd gennyt ti ryw wybodaeth—wel—fe fydd ugain punt i unrhyw un all fy arwain i ato fe—neu'r baban.'

A chyda hynny roedden nhw wedi mynd gan adael

Tomos Wiliam â'i geg ar agor wrth ddrws ei fwthyn. Ugain punt! Beth allai ef ei wneud ag ugain punt? O, llawer iawn yn wir! Roedd y swm yn ddigon mawr i ddynnu dŵr o'i ddannedd.

*   *   *

Aeth wythnos heibio, ac ni ddaeth neb wedyn i holi am y dieithryn a'r baban. Bob nos disgwyliai Tomos Wiliam glywed sŵn carnau ceffyl yn nesáu at y tollborth, a'r dyn ifanc â'r clogyn du yn dod yn ôl i hawlio'r baban. Ond ni ddaeth.

Yr oedd un peth yn achosi pryder mawr i Tomos Wiliam. Roedd e wedi sylwi fwy nag unwaith fod yna ddyn yn llercian o gwmpas y glwyd ac o gwmpas Pont-y-glyn a'r hen feudy. Ai hwn oedd y dyn oedd wedi ei adael gan y gŵr bonheddig i gadw llygad ar yr ardal? A oedd e hefyd yn cadw llygad ar ei fwthyn ef? Bob dydd a âi heibio fe deimlai'n fwy nerfus ac anesmwyth. Dyna pam roedd e wedi gwrthod caniatâd i Gwen fynd allan â'r plentyn am dro o gwbwl. Pe bai'r gwyliwr distaw yn ei weld un waith fe fyddai'r dihirod yn disgyn ar eu pennau mewn byr amser.

Yna un noson yn bur hwyr roedd e wedi clywed sŵn rhywun yn cerdded yn llechwraidd o gwmpas y tŷ ond pan aeth e allan i weld pwy oedd yno ni welodd enaid byw yn unman. Yna roedd Gwen wedi tybio ei bod hi wedi gweld wyneb yn sbio arni trwy glawdd yr ardd unwaith. Ond roedd yr wyneb wedi diflannu mewn winc, a meddyliai wedyn mai dychmygu a wnaeth. Roedd

Tomos Wiliam hefyd yn ddigon parod i gredu mai ei nerfau oedd wedi ei dwyllo yntau. Ond rhwng popeth, wythnos bur ofidus a dreuliodd y ddau yn y bwthyn wrth ymyl y ffordd fawr ar ôl i'r plentyn ddod i fyw atyn nhw.

Prynhawn dydd Sadwrn oedd hi pan glywodd Tomos Wiliam y drws yn agor a rhywun yn gweiddi, 'Helô!' Roedd e'n adnabod y llais—llais ei chwaer Catrin ydoedd. Yr oedd hi'n wraig i Ifan Puw yr Hafod, draw ar lethrau'r Frenni Fawr. A phob yn awr ac yn y man byddai Catrin yn cerdded pum milltir o'r Hafod i dollborth Pont-y-glyn i weld ei brawd a'i nith. Yn wir, fe gredai Catrin Puw fod rhaid iddi ddod am dro yn awr ac yn y man er mwyn cadw tipyn o drefn ar Tomos Wiliam a Gwen. A chware teg iddi, ni fyddai byth yn dod heb fasged lawn—o wyau, bara gwenith a menyn a chaws.

Y peth nesaf a welodd Tomos Wiliam oedd Catrin ei chwaer yn sefyll ar ganol llawr y gegin â'r fasged arferol ar ei braich.

'Catrin!' meddai mewn syndod, 'o ble tarddest ti mor sydyn?'

Gosododd Catrin Puw'r fasged ar y bwrdd, a rhwbiodd ei phenelin, a oedd yn boenus ar ôl ei chario mor bell. Yna edrychodd o gwmpas y gegin i weld sut drefn oedd ar yr ystafell. Yna eisteddodd ar y sgiw gyferbyn â'i brawd, ac edrychodd i fyw ei lygad.

'Wel, Tomos,' meddai, 'beth sy'n bod arnat ti?'

'Beth sy'n bod arna i?'

'Ie, beth sy'n bod arnat ti? Paid ti ceisio 'nhwyllo i,

Tomos. Rwy'n nabod wrth dy wyneb di fod rhywbeth yn dy boeni di. Cofia di 'mod i flynydde'n hŷn na ti, 'machgen i. Rwy i wedi gweld dy fagu di, cofia.'

Gwenodd Tomos Wiliam am y tro cyntaf ers amser. Fe deimlai'n falch o weld ei chwaer.

'Ble mae Gwen?' gofynnodd Catrin.

'O—y—mae o gwmpas y lle 'ma. Mae hi yn yr ardd, rwy'n meddwl.'

'O ie? Wel, sut mae'r byd yn dy drin di, Tomos?'

'O—y . . . yn iawn . . . yn iawn . . .'

'O, yn iawn iefe? Wel, dwyt ti ddim yn swnio'n rhyw siŵr iawn chwaith, wyt ti?'

Y foment honno cerddodd Gwen i mewn i'r ystafell â'r baban yn ei chôl.

'Wel—brensiach y brain! Beth yn y byd yw hwnna, Gwen?'

Edrychodd Gwen braidd yn amheus ar ei thad. A oedd hi wedi rhoi ei throed ynddi wrth ddangos y plentyn i'w modryb? A beth pe bai'r ymwelydd yn rhywun arall heblaw ei modryb?

'Catrin,' meddai Tomos Wiliam, 'eistedd ar y sgiw 'na'. (Roedd ei chwaer wedi neidio ar ei thraed pan welodd y baban ym mreichiau Gwen.)

'Wel?' meddai, ar ôl eistedd unwaith eto.

'Os cymeri di'r bachgen bach o'wrth Gwen—iddi gael mynd i baratoi pryd o fwyd i ti—fe adrodda i'r hanes i gyd wrthyt ti nawr.'

Edrychodd Catrin o un i'r llall, yna estynnodd ei breichiau am y plentyn.

Plygodd Gwen i'w roi yn ei chôl.

'Wel y peth bach del!' meddai gan osod y baban ar ei phen-glin. Yna dechreuodd Tomos Wiliam ar ei stori. Adroddodd yr hanes i gyd am y dyn ifanc â'r clogyn du, am y waled a'r arian ac am y dynion oedd wedi bod yn chwilio am y dyn ifanc a'r baban. Wedyn daeth at y dyn oedd wedi bod yn loetran o gwmpas yn cadw llygad ar ei symudiadau ef a Gwen.

Yr oedd y plentyn yn chware â'r botymau gloyw oedd ar flows Catrin Puw, a phob yn awr ac yn y man fe wnâi'r sŵn bach hwnnw a oedd yn dangos ei fod yn hapus ac wrth ei fodd.

Ar ôl i Tomos Wiliam ddod i ben â'i stori, fe fu Catrin yn ddistaw am dipyn. Yna dywedodd,

'Wel, fe fuost yn hen ffŵl gwirion i dderbyn plentyn oddi wrth ddyn dierth hollol, on'd do fe, Tomos?'

'Do,' atebodd ei brawd.

'Fuse neb â thipyn o gomon sens yn 'i ben e wedi gneud y fath beth.'

'Na, rwyt ti'n iawn; rwy'n gallu gweld hynny nawr.'

'Y peth tebyca yw na weli di byth mo'r dyn ifanc 'na byth mwy. A beth wyt ti'n mynd i' neud wedyn?'

'Wel—y—fe fydd rhaid cadw'r plentyn, dyna i gyd. Mae yna ganpunt yn y waled . . .'

'A beth am y dyn 'na sy'n prowlan o gwmpas tu fas 'na? Wyt ti'n meddwl y cei di *lonydd* i gadw'r plentyn?'

'Na . . . y . . . mae arna i ofn, Catrin . . .' Yn sydyn cododd Tomos Wiliam o'i gadair a dechrau cerdded i fyny ac i lawr yr ystafell.

'Catrin,' meddai o'r diwedd, gan droi at ei chwaer, 'fyddet ti'n fodlon 'i gymryd e?'

'Fi? Brensiach y brain, Tomos—*fi*'n 'i gymryd e? Dim diolch!'

'Dim ond dros dro rown i'n feddwl, Catrin . . . nes bydde pethe wedi tawelu tipyn. Mae'r Hafod yn lle unig ar ochor y mynydd . . . fydde neb yn debyg . . .'

'Tomos,' meddai Catrin cyn iddo orffen, 'mae gen i ddigon o waith edrych ar ôl y ffarm 'co, a hynny heb damaid o forwyn na dim byd. Sut yn y byd wyt ti'n meddwl y galla i gymryd gofal plentyn ar ben hynny?'

'Ond dim ond am wythnos neu ddwy nes daw'r dyn ifanc yn 'i ôl . . .'

'Hy!' meddai Catrin, gan chwerthin yn wawdlyd. 'Os wyt ti'n meddwl y gweli di hwnna byth eto, rwyt ti'n gneud camgymeriad mawr iawn, Tomos, coelia di fi.'

'Wel, os na ddaw e, mi fydda i'n agor yr amlen sy'n y waled i weld pwy yw'r plentyn. Fe ddwedodd y milwr fuodd 'ma mai mab i chwaer y gŵr bonheddig tew oedd e. Os felly fe fydd hi'n hawdd dod o hyd i rywun fydd yn barod i gymryd gofal ohono fe.'

'Dyw'r gŵr bonheddig 'na ddim yn swnio i fi fel dyn cymwys i gael gofal yr hogyn bach 'ma, Tomos.'

'Na, rwy'n ofni mai rhyw amcan drwg sy ganddo fe. Rwy i wedi bod yn meddwl hynny o'r dechre.'

Bu distawrwydd rhyngddynt am funud. Roedd y baban yn tynnu un o fotymau blows yr hen Gatrin fel pe bai'n benderfynol o'i gael yn rhydd. Gwenodd Catrin wrth wylio ei ymdrechion.

'O? Un bach drwg wyt ti, rwy'n gweld,' meddai wrtho. Ond roedd gwên ar ei hwyneb wrth ddweud.

'Mae e'n blentyn cryf, Tomos, ac mor iach â'r cricsyn fuswn i'n ddweud. Mae e wedi cael gofal da gan rywrai cyn iddo fe ddod 'ma. Beth mae hi Gwen yn feddwl ohono fe?'

'O, mae hi'n dotio arno fe—bob munud o'r dydd. Rwy'n ofni, os na aiff e o 'ma cyn bo hir y bydd hi'n mynd yn rhy hoff ohono fe . . . ac y bydd hi'n hiraethu'n ddrwg iawn ar 'i ôl e.'

'Fe alla i gredu hynny'n iawn, Tomos.' Edrychodd Catrin ar wyneb tlws a gwallt cyrliog y baban, a gwelodd ei brawd ddeigryn gloyw yn cronni yng nghornel ei llygad. A'r foment honno aeth ei feddwl yn ôl ugain mlynedd, i'r dydd pan oedd ei chwaer wedi colli plentyn bach ar ddydd ei eni, ac fel yr oedd hi wedi galaru ar ôl hwnnw am flynyddoedd. Roedd hi wedi bod yn wael iawn y pryd hwnnw, a'r meddyg bron â rhoi fyny gobaith amdani. Ac fe wyddai Tomos Wiliam mai un gofid mawr oedd wedi bod erioed ym mywyd ei chwaer—sef ei bod hi wedi methu â chael plant iddi ei hun. Gwelodd hi'n cydio ym moch gron y baban rhwng ei bys a'i bawd.

'Fydde fe'n ddiogel gyda chi yn yr Hafod,' meddai. 'Does 'na fawr iawn o bobol ddierth yn dod ffor'na. A phe baen nhw'n dod rŷch chi'n gallu 'u gweld nhw'n dod o bell . . .'

'O!' meddai hithau, gan edrych yn gas arno. 'Rwyt ti'n haerllug, Tomos, yn gofyn i fi neud y fath beth! Beth fydde Ifan yn feddwl pe bawn i'n addo cymryd plentyn dierth . . . ?'

Gwenodd Tomos Wiliam. Fe wyddai fod Ifan yr

Hafod y mwyaf diniwed o ddynion, a'i fod yn llwyr o dan fawd ei wraig. Gwyddai nad oedd yr hen Ifan wedi amau yr un gair a ddywedodd Catrin erioed. Pe bai'n dod adre â llond carafán o sipsiwn gyda hi, fyddai Ifan ddim yn debyg o ddweud yr un gair. Un felly oedd e.

'Nawr, Catrin,' meddai Tomos Wiliam, 'rwyt ti'n gwbod yn iawn pwy sy'n trefnu pethe tua'r Hafod 'co. Rwy'n nabod Ifan yn ddigon da i wbod na fydde fe byth yn mynd yn dy erbyn di mewn dim. Ac fe fydde'r plentyn bach 'ma yn gwmni i chi'ch dou. Ond mae'n debyg fod ofn y bobol 'ma sy'n edrych amdano fe . . . '

'Ofn y tacle 'na?' meddai Catrin yn ffyrnig. 'Does arna i ddim ofn yr un dyn byw, 'machgen i!'

'Fe'i cym'ri di e felly?' Roedd llais Tomos Wiliam yn eiddgar.

Nid atebodd ei chwaer ar unwaith. Edrychodd i fyw llygad ei brawd, yna yn ôl ar y baban yn ei chôl.

'Gwnaf, Tomos,' meddai o'r diwedd, 'ond ar un amod.'

'Ie?'

''Mod i'n cael gwbod mwy o'i hanes e.'

'Ond wn i ddim rhagor . . . '

'Y waled 'na, Tomos.'

'Wyt ti'n awgrymu ein bod ni'n . . . ?'

'Yn agor yr amlen 'na.'

'Ond fe ddwedodd y gŵr ifanc y byddai'n well i ni beidio.'

'Fedra i ddim cymryd plentyn heb wybod dim amdano fe, Tomos. Falle 'mod i'n gwneud cam ag e wrth 'i gymryd e i'r Hafod. Falle y bydde hi'n well i ni 'i roi fe'n ôl i'r rhai oedd 'ma yn edrych amdano fe.'

'Na.'

'O'r gore, Tomos, os wyt ti'n benderfynol o beidio agor yr amlen, mae'n ddrwg gen i ond alla i ddim addo 'i gymryd e.'

Gwelodd Tomos Wiliam fod ei chwaer yn benderfynol. Aeth i'r drôr a thynnu allan y waled drwchus. Ar ôl ei hagor tynnodd yr amlen allan, ac wedi oedi tipyn mewn petruster—torrodd y sêl. A'r foment honno daeth Gwen â bwyd i'r ford.

'Dewch at eich bwyd, Modryb Catrin, a dewch ag Arthur i fi.'

Estynnodd y bychan ei freichiau at Gwen gan gicio'i draed ar gôl Catrin Puw.

'Hy!' meddai honno yn ffug-ddifrifol. 'Rwy'n gallu gweld fod hwn wedi cael 'i sbwylio'n barod yn y tŷ 'ma. Os daw e i'r Hafod chaiff e ddim llawer o faldod, fe alla i ddweud wrthoch chi nawr!'

Winciodd Tomos Wiliam ar Gwen. Fe wyddai'r ddau'n iawn y byddai'r bychan yn siŵr o gael pob math o faldod pe bai'n mynd at Catrin Puw a'i gŵr.

Eisteddodd yr hen Gatrin wrth y bwrdd i fwyta basnaid o gawl twymo a thipyn o fara gwenith o'i gwaith ei hunan.

'Wel, edrych be sy yn yr amlen 'na 'te, Tomos,' meddai.

Tynnodd Tomos Wiliam gynnwys yr amlen allan. Gwelodd mai llythyr trwchus ydoedd, wedi ei ysgrifennu ar nifer fawr o dudalennau o bapur da. Ar ben pob tudalen yr oedd arfbais—llun tarian â brân ddu, falch yr olwg, yn ei chanol.

'Darllen e!' meddai Catrin yn ddiamynedd. Ond fe deimlai Tomos Wiliam ryw anesmwythyd—rhyw euog-rwydd . . . roedd y gŵr ifanc wedi dweud . . . ond gwyddai y byddai Catrin yn mynnu clywed beth oedd cynnwys y llythyr cyn cymryd y baban. Aeth i eistedd mewn cadair yn ymyl y ffenest, a dyma fe'n dechrau darllen.

Dôl-y-brain,
Sir Gaerfyrddin
Hydref 11eg 1838

Yr wyf fi, Mary O'Kelly, yn sgrifennu'r llythyr hwn yn fy ngwely o dan anawsterau mawr iawn. Fi yw unig ferch Syr Henri Rhydderch o Blas Dôl-y-brain—y diweddar Syr Henri erbyn hyn, oherwydd bu farw fy nhad wythnos yn ôl o'r frech wen. Ac yn awr yr wyf finnau yn wael iawn o'r un clefyd, ac yn debyg o farw.

Cefais yr enw O'Kelly trwy briodi Shean O'Kelly o Ballymore yn Iwerddon, a hynny yn groes i ddymuniad fy nhad. Pan briodais a mynd i fyw yn Iwerddon gyda'm gŵr, fe gefais fy niarddel gan fy nhad, a dywedodd nad oedd am fy ngweld yn Nôl-y-brain byth wedyn. Yn fuan ar ôl i mi fynd i fyw i Iwerddon fe ddechreuodd yr ymladd. Yr oedd pobl Iwerddon am gael gwared o'r Saeson o'u gwlad, ac yr oedd fy ngŵr yn un o'r rhai oedd yn arwain y 'rebels' a geisiodd yrru'r estroniaid o Iwerddon. Ond yr oedd y Saeson yn gryf iawn, ac ar ôl dwyn llawer o dir iddynt eu

47

hunain trwy ymladd, yr oeddynt yn anfodlon iawn ei roi
'nôl i'r Gwyddelod. Yn yr ymladd chwerw a fu wedyn, fe
saethwyd fy ngŵr yn farw, ar ôl iddo gael ei fradychu gan
un o'i bobl ei hun. A dyna lle'r oeddwn i mewn gwlad
ddierth yn wraig weddw, ddigartref. (Roedd y Saeson wedi
dwyn tir ac eiddo fy ngŵr.) Ni allwn fynd yn ôl i Gymru
chwaith am fy mod wedi digio fy nhad.

Fe fu teulu fy ngŵr yn garedig iawn tuag ataf, ond ar ôl
colli fy ngŵr yr oeddwn yn hiraethu am fynd yn ôl i
Gymru, ac i Ddôl-y-brain. Fe sgrifennais lythyr yn adrodd
yr holl hanes wrth fy nhad, ac yn erfyn arno faddau i mi
am bopeth a gadael i mi ddychwelyd adre.

Bûm yn disgwyl a disgwyl am ateb oddi wrtho, ond ni
ddaeth yr un gair. Yna, bedwar mis union ar ôl marwol-
aeth ei dad, fe aned fy mab, Arthur. Yn awr, er nad oedd
fy nhad wedi ateb fy llythyr blaenorol, fe benderfynais fod
rhaid i mi sgrifennu unwaith eto—er mwyn fy mab, a oedd
wrth gwrs, yn etifedd stad Dôl-y-brain, gan nad oes gen i
na brawd na chwaer. Ond aeth bron ddwy flynedd heibio
heb unrhyw ateb oddi wrth fy nhad. Yna fe ddaeth llythyr
—nid oddi wrth fy nhad, ond oddi wrth Ruth, fy hen nyrs
pan oeddwn yn blentyn yn Nôl-y-brain. Dywedai yn ei
llythyr fod fy nhad yn wael ac yn gofyn amdanaf.

Penderfynais groesi'r môr i Gymru ar unwaith. Fe
ddeuthum ag Arthur gyda mi, a daeth Patrick, brawd
ieuanga fy ngŵr, gyda ni i ofalu na ddeuai dim niwed i ni.

Pan gyrhaeddais Ddôl-y-brain gwelais fod fy nhad yn
wael iawn. Yr oedd pobl eraill yn y tŷ. Roedd fy
ewyrth, John Mansel, yno, gŵr Modryb Ann, chwaer fy
nhad, a'i fab Harold. Fe ddeellais ar unwaith nad oedd yr

un o'r ddau yn falch iawn o'm gweld, ac ni fûm yn hir iawn cyn deall pam! Roedd John Mansel wedi meddwl, gan fod fy nhad wedi fy niarddel i a'm herlid o Ddôl-y-brain, y byddai'r stad yn dod i Harold fel y perthynas agosaf ar fy ôl i, pan fyddai fy nhad farw. Ond—â 'nhad ar ei wely angau—roeddwn i wedi dod adre, ac i wneud pethe'n waeth, roedd gen i fab, a fyddai, efallai, yn ennill calon fy nhad ac yn etifeddu holl gyfoeth a thiroedd Dôl-y-brain. Yr oedd golwg filain iawn ar fy ewyrth pan ddywedais wrtho mai fy mab oedd y plentyn yn fy mreichiau.

Pan euthum wedyn i ystafell wely fy nhad cefais sioc i weld fod y diwedd yn agos. Ond gwenodd arnaf yn dyner, ac er na ddywedodd fawr ddim, gwyddwn ei fod o'r diwedd wedi maddau'r cwbwl i mi. Gofynnais iddo a oedd am weld ei ŵyr bach. Edrychodd yn wyllt arnaf. 'Paid â dod â'r etifedd mewn i'r stafell 'ma,' meddai, a'i lais am foment yn gryf. Ie, dyna'r union air a ddefnyddiodd e—'. . . yr etifedd.' Ni ddeellais tan fore trannoeth pam nad oedd fy nhad yn fodlon gweld ei ŵyr yn ei ystafell wely. Roedd e'n gwybod fod y frech wen arno, a doedd e ddim am i Arthur gael y clefyd ofnadwy.

Pan ddeallwyd beth oedd ar fy nhad, nid oedd neb yn fodlon mynd yn agos ato. Am dridiau cyn ei farw dim ond fi a Ruth fu yn ei dendio. Yna fe ddechreuais i fynd yn sâl. Dyna pryd y dechreuais i sgrifennu'r hanes yma. Wn i ddim a fydd e'n cyrraedd dwylo rhywun nad yw'n elyn i mi ai peidio. Fy holl ofid yn awr yw beth a all ddigwydd i Arthur. Pan fu 'nhad farw, fe gymerodd John Mansel (ni allaf feddwl ei alw'n ewyrth) ofal o bopeth yn Nôl-y-brain. Mae e'n gwrthod gadael i Patrick ddod i'm gweld, ond, a *dweud y gwir, rwy'n falch o hynny, rhag ofn iddo yntau gael y clefyd. Nid yw Ruth yn cael dod chwaith, ond mae e wedi dod â rhyw hen ddynes â'i hwyneb yn greithiau i gyd i edrych ar fy ôl. Mae hi wedi cael y frech wen ac wedi gwella. Mae honno'n pallu siarad â mi ac mae'n gwylio pob symudiad . . .*

(Yn y fan yma roedd toriad yn y llythyr fel pe bai'r un a'i sgrifennodd wedi cael ei rhwystro'n sydyn. Pan ail-gychwynnodd yr hanes, yr oedd y llawysgrifen fân, ddestlus wedi newid—wedi mynd yn fawr ac yn aflêr.)

'Mae'r ysgrifen yn—y—dipyn yn annealladwy o'r fan yma, Catrin,' meddai Tomos Wiliam.

'Wyt ti'n meddwl y gelli di 'i darllen hi?' Roedd ei llais yn crynu.

'Fe wna i 'ngore.' Plygodd eilwaith dros y papur.

. . . fe ddaeth y meddyg yma neithiwr. Dywedodd mai Patrick oedd wedi dod i'w mofyn. Felly mae Patrick yma o hyd—diolch i Dduw. Chaiff fy mhlentyn ddim cam tra bydd ef yma . . . ond mae arna i ofn . . . os bydda i farw . . . dim ond Arthur fydd yn sefyll rhwng Harold Mansel a stad Dôl-y-brain . . . ac rwy'n nabod John Mansel yn ddigon da i wybod y bydde fe'n barod i gyflawni unrhyw weithred felltigedig i ennill cyfoeth a theitl fy nhad. Os caf fi fyw—ac mae rhai yn gwella o'r frech wen—fe fydd popeth yn iawn. Ond . . .

Mae Ruth wedi dod o rywle. Wn i ddim sut y llwyddodd hi i ddod ata i. Bendith arni . . . fe gaiff hi fynd â hwn rhag

50

ofn na chaf fi ddim cyfle . . . a'r ewyllys. Mae llygaid Ruth yn goch . . .
Mary O'Kelly

'Dyna'r cwbwl,' meddai Tomos Wiliam. Yn awr nid oedd un sŵn yn yr ystafell ond sŵn tipiadau cyson yr hen gloc mawr ar y pared. Roedd y plentyn wedi llithro o gôl Gwen ar y sgiw, ac yn awr chwareuai â'r gath ar yr aelwyd.

'O!' meddai Gwen, â dagrau lond ei llygaid.

'Dduw Mowr!' meddai Catrin Puw. 'Druan â hi'r greadures fach! Pwy ddwedodd mai pobol dlawd yn unig sy'n gorfod diodde yn yr hen fyd 'ma? Dyna un wraig fonheddig a welodd 'i gwala o ofid!'

'Dôl-y-brain?' meddai Tomos Wiliam yn feddylgar. 'Mae e'n un o blasau mawr sir Gaerfyrddin . . . rwy i wedi clywed amdano. Ond wn i ddim yn iawn lle mae e chwaith. Ond rwy'n meddwl 'i fod e'n agos i dre Caerfyrddin.'

Plygodd dudalennau'r llythyr a'u rhoi'n ôl yn y waled.

'Wel, Catrin?' meddai wedyn. 'Beth wyt ti'n feddwl nawr?'

Ysgydwodd yr hen Gatrin ei phen.

'Mae'r llythyr yn egluro'r cwbwl, rwy'n ofni, Tomos; er na lwyddodd y ddynes fach 'i orffen e. Fe fynnodd y nyrs—y Ruth yna—fynd mewn ati, efalle pan oedd John Mansel i ffwrdd yn rhywle, ac fe welodd mam y plentyn 'i chyfle—efalle 'i chyfle ola—i roi'r llythyr iddi . . . a'r ewyllys—ewyllys yr hen Syr, mae'n debyg. Wedyn

51

roedd y gŵr ifanc—y Patrick O'Kelly 'ma—rywfodd neu'i gilydd wedi cael y llythyr. A dyma fe wedyn yn dwyn y plentyn ac yn dianc. Pam? Am 'i fod e'n ofni beth fydde'n digwydd iddo pe bai e'n aros rhagor yn y Plas? Ie, debyg iawn. A phan gyrhaeddodd e 'ma roedden nhw bron â'i ddal e; a dyma fe'n rhoi'r bychan i ti i ofalu amdano. Ac mae e'n gadael y waled yn llawn arian, a'r llythyr, rhag ofn y bydde rhywbeth yn digwydd iddo fe . . . ond adawodd e ddim mo'r ewyllys? A yw hynny'n golygu fod y John Mansel yna wedi dod o hyd iddi? Falle wir. Ac os yw e, wel, mae'n debyg y bydd hi'n anodd profi i bwy y mae'r hen ŵr bonheddig wedi gadael y stad a'r arian . . . wn i ddim . . .'

'Rwyt ti'n iawn, Catrin. Ac rwy i'n gallu gweld ein bod ni wedi glanio'n hunen mewn trwbwl . . .'

'Do, Tomos, a Duw a ŵyr ble bydd diwedd yr holl helynt 'ma. Gwen, paid crio fel'na, 'merch i. Fel'na mae yn yr hen fyd 'ma wyddost ti; mae e'n llawn o ofid a thristwch, fel y dywedodd Mr Philips y pregethwr ddydd Sul diwetha. Mae mam yr un bach 'ma, mae'n debyg, wedi mynd—wedi marw o'r frech wen. Ond fe ofala i na chaiff y plentyn ddim cam. Fe gaiff e ddod i'r Hafod, ac fe fydd Ifan a finne'n edrych ar 'i ôl e. Ond os na ddaw'r gŵr bonheddig ifanc—y Patrick 'na—'nôl, wn i ddim beth i' wneud wedyn, na wn i wir.'

'Gwen,' meddai Tomos Wiliam, 'rwy i wedi bod yn meddwl. Falle y bydde hi'n beth da pe bait ti'n mynd gyda dy fodryb i'r Hafod am rai dyddie. Beth wyt ti'n feddwl, Catrin? Hoffet ti 'i cha'l hi—i edrych ar ôl yr un bach 'ma nes bydd e wedi cartrefu gyda ti ac Ifan?'

'Os wyt ti'n fodlon, Tomos, fe fyddwn i'n falch o'i cha'l hi am dipyn. Mae'n amlwg fod y plentyn wedi serchu ynddi hi . . .'

'O'r gore, gwell i ti fynd i baratoi felly 'te, Gwen,' meddai Tomos Wiliam. Cododd Gwen y plentyn yn ei chôl ac aeth i'w hystafell wely i wisgo ar gyfer y daith i'r Hafod.

Yna trawodd syniad sydyn ym mhen Tomos Wiliam.

'Catrin,' meddai, 'wyt ti'n cofio i fi ddweud wrthot ti am y dyn 'na sy wedi bod yn gwylio'r tŷ 'ma, a'r bont . . .?'

'Wel?'

'Wel, os bydd e'n eich gweld chi . . . a'r plentyn?'

'Rwy i wedi meddwl am hynny'n barod, Tomos. Rwy'n mynd i roi'r bachgen yn y fasged 'ma.'

'Yn y *fasged*?'

'Ie. Os oedd y dihiryn 'na'n gwylio, mae e wedi 'ngweld i'n dod 'ma â'r fasged fowr 'ma ar 'y mraich. Wel, fe gaiff e 'ngweld i'n mynd o 'ma hefyd â'r un fasged ar 'y mraich, Tomos. Felly fydd e ddim yn ame dim.'

A dyna sut yr aeth etifedd bach stad Dôl-y-brain o fwthyn tollborth Pont-y-glyn i fferm yr Hafod draw ar lethrau un o fynyddoedd Preseli—mewn basged ar fraich Catrin Puw!

Aeth pythefnos heibio, a Tomos Wiliam wrtho'i hunan yn ei fwthyn yn ymyl y ffordd fawr, yn gofalu agor a chau'r glwyd i'r teithwyr a âi heibio'r ffordd honno. Yn eu tro deuai'r Mêl a'r Goets, teithwyr dieithr o bell mewn cerbydau ysgeifn, cyflym, a rhai teithwyr mewn ceirt a gwagenni trymion. Byddai Tomos Wiliam yn adnabod rhai o'r rheini ac yn eu cyfarch wrth eu henwau.

Bob nos ar ôl iddi dywyllu ac yntau'n eistedd wrth dân ei fwthyn, disgwyliai glywed sŵn carnau ceffyl, a llais y gŵr bonheddig ifanc hwnnw â'r clogyn du yn gweiddi'r tu allan.

Ond bu'r holl ddisgwyl yn ofer—ni ddaeth y gŵr ifanc yn ei ôl. Roedd e wedi diflannu fel pe bai'r ddaear wedi ei lyncu. Tybed a ddeuai byth y ffordd honno eto? Tybed nad oedd e wedi boddi wrth geisio croesi'r afon?

Yna ymhen y pythefnos daeth Gwen yn ei hôl o'r Hafod. Roedd yr hogyn bach, meddai hi, wedi cartrefu'n iawn yno, ac roedd yr hen Ifan Puw wedi dotio arno! Byddai'n eistedd gydag ef bob nos nes byddai wedi mynd i gysgu, a hyd yn oed ar ôl i'r plentyn gau ei lygaid, byddai Ifan yn dal i eistedd yn dawel yn ymyl ei wely, yn ei wylio'n anadlu ac yn symud weithiau yn ei gwsg. Wrth glywed Gwen yn adrodd yr hanes hwn, fe gofiodd Tomos Wiliam eto am y plentyn hwnnw oedd wedi ei eni i Catrin ac Ifan, ac a oedd wedi marw, ac fe wyddai'n iawn beth oedd yng nghalon yr hen ffermwr wrth wylio'r plentyn yn cysgu yn ei wely—hiraeth am blentyn arall, a fyddai, pe bai wedi cael byw, wedi tyfu'n etifedd fferm yr Hafod i gymryd gofal o'r hen le pan fyddai Ifan wedi mynd yn hen. Roedd Ifan yn caru'r Hafod. Roedd e wedi cael y lle ar ôl ei dad. Pwy fyddai yno ar ei ôl ef?

Roedd y plentyn wedi cymryd at Ifan hefyd, meddai Gwen, ac nid oedd dim yn well ganddo na chael ei daflu i fyny ac i lawr ar ben-glin yr hen ffermwr caredig. Roedd Betsi'r ast ddefaid wedi cymryd at y bychan hefyd, a dioddefai ganddo dynnu ei chlustiau a'i chynffon heb ddigio. Yn wir, doedd hi ddim mor fodlon ag arfer i adael y tŷ i fynd gyda'i meistr i edrych y defaid, am fod hynny'n golygu gadael y plentyn!

Deallodd Tomos Wiliam mai yn groes i'w graen y gadawodd Gwen yr Hafod hefyd, i ddod tua thre at ei thad! Roedd yr hogyn bach amddifad wedi mynd yn dipyn o ffefryn gan bawb.

Roedd Gwen wedi dod ag un o'r papurau pumpunt oedd yn y waled, gyda hi o'r Hafod. (Gorfododd Tomos Wiliam i'w chwaer fynd â'r waled gyda hi pan aeth hi â'r baban. Roedd hi wedi protestio, ond roedd e'n benderfynol mai gyda'r plentyn y dylai'r waled fod bob amser.)

Ond yn awr roedd Modryb Catrin wedi anfon un papur pumpunt gyda Gwen gyda'r gorchymyn i Tomos Wiliam fynd i'r dre i brynu brethyn i wneud dillad i'r un bach.

A'r bore Llun canlynol dyma Tomos Wiliam yn cychwyn allan am y dre, gan adael y tollborth yng ngofal Gwen. Yn ei boced yr oedd y papur pumpunt, ac wrth fynd ar ei daith, meddyliodd nad oedd wedi cario cymaint o arian yn ei boced erioed o'r blaen. Dechreuodd feddwl am ladron-pen-ffordd—y dihirod hynny a fyddai'n anelu pistol atoch gan weiddi, 'Your money or your life!' Ond ysgydwodd ei ben a llithrodd gwên dros ei wyneb. Fyddai neb yn debyg o feddwl fod dyn ar ei draed, wedi'i wisgo mor gyffredin ag ef, yn cario papur pumpunt.

Wrth fynd i lawr at Bont-y-glyn gwelodd fod dyn yn sefyll ar y bont, yn edrych i lawr i'r dŵr. Yr oedd ei gefn at Tomos Wiliam ac ni allai weld ei wyneb. Ni throdd y dyn ei ben o gwbwl pan oedd ef yn cerdded heibio—dim ond dal i edrych i lawr ar y llif. Peth od na fuasai wedi troi ei ben i ddweud, 'Sut ŷch chi heddi?' neu rywbeth, meddyliodd Tomos Wiliam. Beth oedd yn bod ar y creadur? Fe wnaeth y digwyddiad iddo deimlo rhyw anesmwythyd bach. Ond erbyn hyn roedd e wedi mynd ymlaen heibio i'r bont ac wedi cyrraedd y tro yn y ffordd. O'r fan honno taflodd un cip dros ei ysgwydd. Roedd y dyn yn pwyso ar y bont o hyd, ond yn awr roedd e wedi troi ei ben ac roedd e'n edrych ar ôl Tomos Wiliam.

Ar ôl mynd am ryw ddwy filltir fe ddechreuodd Tomos Wiliam feddwl—neu ddychmygu—fod rhywun yn ei ddilyn. Ac eto nid oedd ganddo unrhyw sail dros gredu hynny, oherwydd doedd e ddim wedi gweld enaid byw er pan welodd e'r dyn hwnnw ar Bont-y-glyn. Fe daflai olwg dros ei ysgwydd yn aml, ond bob tro nid oedd sôn am enaid byw o'r tu cefn iddo.

*   *   *

Pan gyrhaeddodd y dref yr oedd syched arno, ac aeth i mewn i'r Red Cow i gael glasiaid o ddiod. Pan ddaeth allan ymhen tipyn fe aeth i lawr y stryd at siop Daniel Dafis y Teiliwr. Yr oedd hi'n siop ddillad enwog yn y dref; roedd Tomos Wiliam wedi bod yno o'r blaen fwy nag unwaith, ac roedd e'n nabod y perchennog yn dda.

Yr oedd Daniel Dafis y tu ôl i'r cownter—dyn bach, twt â llinyn mesur am ei wddf a sbectol ar ei drwyn. Roedd Tomos Wiliam yn ddigon balch o weld nad oedd yr un cwsmer arall yn y siop ar y pryd.

'Hylô 'na! Wel, wel, Tomos Wiliam, mae tipyn o ddŵr wedi llifo dan y bont er pan fuoch chi ffor' hyn o'r blaen, oes e ddim?' meddai'r siopwr gan sbio dros ei sbectol.

'Oes mae e, Mr Dafis; rwy'n gorfod gofalu am y glwyd—mae'r gwaith yn 'y nghadw i yn gaeth iawn. Does dim posib cael cyfle i fynd i ffair na dim. Sut mae pethe gyda chi?'

'O'n iawn, fachgen, er y gallwn i neud y tro â thipyn rhagor o fusnes y dyddie hyn.'

'Mae 'na dlodi mowr yn y wlad, Daniel Dafis—does gan bobol ddim arian . . .'

Ysgydwodd y siopwr ei ben. 'Eitha gwir, Tomos Wiliam. Y—oes 'na rywbeth y galla i' neud . . .?'

'Wel, mae arna i eisie tipyn o frethyn . . .'

'A! Tipyn o frethyn cartre iefe, Tomos? Mae gen i gorn da fan hyn wedi 'i weu yn y Cwm Du. Rŷch chi wedi clywed am wehyddion Cwm Du siŵr o fod?'

'Do, wrth gwrs. Ond—y—rown i wedi meddwl—y—cael rhywbeth mwy ffein na brethyn cartre'r tro 'ma, Daniel Dafis.'

Cododd y siopwr ei aeliau.

'Popeth yn iawn, Tomos Wiliam, ond mae'r brethynne ffein 'ma o bant yn costio tipyn mwy, cofiwch.'

Aeth i mofyn ysgol fechan o gornel yr ystafell a dringodd honno i gyrraedd y silff uchaf ar y wal. Tynnodd i lawr ddau gorn o frethyn a'u taflu ar y cownter. Tynnodd Tomos Wiliam ei law dros y brethyn llyfn, costus. Roedd un corn o liw llwyd, bonheddig a'r llall yn rhyw fath o wyrdd tywyll. Hoffodd y brethyn llwyd ar unwaith. 'Dyma fe i'r gŵr bonheddig bach yn yr Hafod 'na,' meddai wrtho'i hunan.

'Hwn amdani, Daniel Dafis,' meddai'n uchel, gan roi ei law eto ar y corn brethyn llwyd.

Unwaith eto edrychodd y siopwr dros ei sbectol ar Tomos Wiliam.

'Wel—y—wirionedd i, Tomos, fe fyddwch chi'n torri tipyn o ddash mewn pâr o ddillad o'r brethyn 'ma, byddwch siŵr 'te!'

'Nid i fi rown i eisie'r brethyn.'

Ar y gair agorodd y drws a cherddodd dyn i mewn i'r siop. Nid oedd Tomos Wiliam yn ei adnabod, ac eto roedd rhywbeth yn ei gylch oedd yn gyfarwydd.

'Rown i'n meddwl wir,' meddai'r hen siopwr. 'Rown i'n methu'n lân eich gweld chi mewn siwt o hwn, Tomos.'

Edrychodd Tomos Wiliam braidd yn wgus arno. Doedd e ddim yn hoffi'r awgrym nad oedd e'n ddigon da i wisgo siwt o'r brethyn llwyd. Ond gwyddai'n iawn beth oedd yr hen siopwr yn 'i feddwl. Fe fyddai gwladwr fel fe *yn* edrych yn od mewn unrhyw beth ond mewn siwt o frethyn cartre garw.

Gwelodd Daniel Dafis yn tynnu ei linyn mesur oddi am ei wddf. 'Y—teirllath, Tomos?'

Doedd Catrin ddim wedi dweud faint oedd eisiau. A oedd angen teirllath? Taflodd lygad ar y dieithryn oedd yn disgwyl ei dro. Roedd hwnnw'n edrych yn graff arno.

'Ie, teirllath, Daniel Dafis,' meddai. Dechreuodd y siopwr fesur. Yna cydiodd mewn siswrn mawr o'r drôr o dan y cownter. Fe deimlai Tomos Wiliam yn anesmwyth iawn. Roedd e newydd sylweddoli y byddai rhaid iddo dynnu'r papur pumpunt allan i dalu. Byddai'n dda ganddo pe bai wedi gallu gwneud hynny cyn i'r dyn dierth 'ma ddod mewn i'r siop.

'Dyna chi 'te, Tomos. Oes rhywbeth arall nawr?'

'Y . . . na . . . y . . . faint sy arna i i chi?'

'Dwy bunt ond pedwar swllt, Tomos, os gwelwch chi'n dda.'

Tynnodd Tomos Wiliam y papur o'i boced. Estynnodd ef i'r dyn bach. Edrychodd hwnnw'n syn arno.

'Papur pumpunt, Tomos!'

'Ie.' Fe deimlai ei wyneb yn llosgi o dan ei farf drwchus. Beth oedd yn bod ar y dyn? meddyliodd. A oedd e'n credu ei fod wedi ei ddwyn?

'Fyddwn ni ddim yn trafod y papure 'ma'n amal,' meddai'r teiliwr. A dweud y gwir, roedd Daniel Dafis yn llawer mwy cyfarwydd â chael ei dalu mewn arian mân—sylltau, chwechau, ceiniogau, a hyd yn oed ddimeiau—arian wedi eu crynhoi'n galed am fisoedd maith. Anaml iawn y byddai ffermwyr cefnog yr ardal yn dod i'r siop â phapur pumpunt. Gwŷr bonheddig y Cilgwyn a'r Llysnewydd oedd yn medru tynnu papurau pumpunt o'u pocedi heb achosi syndod.

Roedd Tomos Wiliam yn gwingo. Gwyddai fod y siopwr bach yn ei ffordd fusneslyd yn disgwyl iddo ddweud wrtho sut roedd e wedi llwyddo i ddod yn berchen papur pumpunt, ac i bwy roedd e wedi prynu'r brethyn llwyd.

'Os paciwch chi'r brethyn 'te, Daniel Dafis,' meddai'n sychlyd.

'Wrth gwrs. A'r newid 'nôl—rhaid peidio anghofio hwnnw. Hym?'

Roedd y siopwr wedi deall o'r diwedd nad oedd Tomos Wiliam am iddo roi ei big i mewn yn ei fusnes. Daliodd y papur pumpunt i fyny at y golau o'r ffenest, ac edrychodd yn graff arno. Unwaith eto teimlodd Tomos Wiliam ei hun yn gwrido a diolchodd fod ganddo farf lawn. Roedd y siopwr yn amau a oedd y papur yn un iawn, neu yn arian ffug!

Wedi cael ei newid, cydiodd Tomos Wiliam yn ei barsel a mynd am y drws. Edrychodd i weld ble'r oedd y dyn oedd wedi bod yn aros ei dro—ond nid oedd sôn amdano yn un man. Ble'r oedd e wedi mynd? Peth rhyfedd iawn 'i fod e wedi mynd allan o'r siop heb ofyn am ddim!

Ar ôl gadael siop y teiliwr fe aeth Tomos Wiliam i brynu rhyw fân bethau eraill. Wedyn aeth yn ôl i'r Red

Cow i gael pryd o fwyd, oherwydd fe deimlai'n newynog iawn ar ôl teithio mor bell. Ac wrth gwrs, roedd hi'n hwyr brynhawn erbyn hyn hefyd, ac yn bryd iddo gael rhywbeth i'w fwyta.

*　　　*　　　*

Yr oedd hi wedi nosi ers tipyn bach pan gerddodd Tomos Wiliam dros Bont-y-glyn ar ei ffordd yn ôl tua thre. Ar ôl cerdded bron bedair milltir ar ddeg i gyd—i'r dref ac yn ôl—fe deimlai'n flinedig dros ben, ac edrychai ymlaen yn awr at gael gorffwys wrth dân ei fwthyn. Cyn bo hir yn awr—ar ôl dringo'r rhiw o'r bont—fe fyddai'n gallu gweld golau yn y ffenest, a chyflymodd ei gam wrth feddwl am y pryd o fwyd blasus a fyddai gan Gwen yn ei ddisgwyl.

Ond pan ddaeth i ben y rhiw nid oedd golau i'w weld yn y ffenest fan draw. Ar unwaith fe deimlodd yn anesmwyth. Fyddai Gwen ddim . . . Dechreuodd redeg, er fod ei draed yn ddolurus ar ôl cerdded mor bell. Daeth at y drws. Yr oedd hwnnw led y pen ar agor. Ond roedd y tŷ yn ddistaw ac yn dywyll.

'Gwen!' Dim ateb.

Rhuthrodd i mewn i'r gegin. Yr oedd tân siriol yn llosgi yn y grât. Ond nid oedd sôn am Gwen yn unman. Estynnodd ei law am gannwyll o'r silff ben tân. Rhodd-odd ei law ar un ar unwaith. Gwthiodd ei blaen yn ffyrnig i'r tân. Cydiodd fflam yn y pabwyr. Yng ngolau gwan y gannwyll wêr edrychodd o'i gwmpas. Yr oedd y llanast rhyfeddaf yn y gegin, a arferai fod mor gymen.

Yr oedd llestri wedi torri'n deilchion ar y llawr, a phob drôr a chwpwrdd wedi eu gwacáu a'u cynnwys wedi ei daflu yma a thraw ar hyd y lle. Edrychai'r cyfan fel pe bai corwynt nerthol wedi chwythu trwy'r bwthyn. Gwelodd fod un drôr—drôr y seld a gadwai ef dan glo bob amser—wedi ei dorri'n yfflon. Bythefnos ynghynt yn y drôr hwnnw, roedd y waled werthfawr a'r canpunt ynddi wedi bod yn gorwedd.

'Gwenno!' gwaeddodd yn uchel. Dim ond y distawrwydd llethol. Ac roedd e'n ddistawrwydd gwahanol i arfer . . . yna sylweddolodd fod yr hen gloc mawr wedi stopio cerdded.

Aeth allan i'r cefn. Gwelodd hi wedyn, yn gorwedd ar y llawr. Beth oedd wedi digwydd iddi? A oedd hi'n fyw? Gosododd y gannwyll ar y llawr yn ei hymyl. Gwelodd ar unwaith ei bod yn anadlu.

'Gwenno!' Gwelodd amrannau ei llygaid yn crynu, yna agorodd ei llygaid ac edrychodd i'w wyneb. Yna cydiodd yn dynn yn ysgwyddau ei thad.

'Nhad! Yr hen ddyn 'na?'

'Dyn? Pwy oedd e, 'ngeneth i?'

'Y dyn 'na â'r cadach am ei wyneb!' Yr oedd ei llais yn llawn dychryn.

'Mae e wedi mynd, Gwen. Does neb ond fi 'ma nawr.'

'Fe glywes i sŵn traed . . . y . . . rown i'n meddwl yn siŵr mai chi oedd wedi dod 'nôl . . . rown i'n paratoi swper. Ond pan edryches i . . . fe weles y dyn 'ma â'r peth gwyn 'ma ar 'i wyneb . . . roedd ffon dew gydag e yn 'i law.'

Aeth cryndod trwy ei chorff wrth gofio'r hyn oedd wedi digwydd. Cydiodd Tomos Wiliam yn dynnach ynddi.

'Ac roedd 'i lyged e, Nhad, yn disgleirio . . . Dwy i ddim yn cofio . . . fe redes i mas i'r cefn . . . ac fe ddaeth ar fy ôl i â'r ffon . . . rwy'n cofio teimlo 'nghoese i'n mynd yn wan . . . ac fe aeth popeth yn dywyll . . .'

Wedi llewygu roedd hi felly, meddyliodd Tomos Wiliam, a theimlai beth rhyddhad nad oedd y dihiryn wedi ei tharo â'r ffon. Cododd hi'n dyner ar ei thraed ac aeth â hi yn ôl i'r gegin a'i gosod ar y sgiw yn ymyl y tân.

'Gwen fach,' meddai, gan edrych o gwmpas yr ystafell, 'mae'n gofidie ni wedi dechre. Diolch i Dduw dy fod di'n iawn, 'y ngeneth i.'

* * *

Y noson honno bu Tomos Wiliam yn troi a throsi yn ei wely, yn methu'n lân â chysgu, ar waetha'r ffaith ei fod wedi blino'n arw ar ôl ei daith bell i'r dref ac yn ôl.

Dyn yn hoffi bywyd tawel oedd Tomos Wiliam. Er nad oedd ofn neb arno, eto i gyd roedd e'n hoffi byw mewn heddwch â phawb, ac nid oedd dim yn waeth ganddo na chweryl o unrhyw fath.

O dro i dro byddai dynion (neu wragedd) od yn dod at y tollborth—pobl a fyddai'n barod i ddadlau ynglŷn â'r tâl am fynd trwodd neu rywbeth felly. Byddai Tomos Wiliam bob amser yn siarad yn dawel ac yn gwrtais â'r bobl hynny. Yr oedd un peth wedi bod yn ei flino'n arw er pan dderbyniodd y swydd o geidwad y tollborth, a hwnnw oedd y ffaith fod y rhan fwyaf o ffermwyr tlawd yr ardal yn ddig iawn wrth y glwyd fawr ar draws y ffordd. Teimlent fod y tâl am fynd trwyddi yn ormod i bobl mor dlawd â hwy ei dalu. Gwyddent fod yr arian a dalent wrth y glwyd yn mynd i gadw a gwella'r ffordd fawr yn y rhan honno o'r wlad. Ond rywfodd roedd y ffordd yn dal yn garegog a thyllog ar waetha'r holl arian a gesglid wrth y tollbyrth, ac roedd y ffermwyr yn teimlo'n siŵr fod yr arian yn mynd i boced y gwŷr bonheddig oedd wedi codi'r tollbyrth—ac nid i wella'r ffyrdd. A gwyddai Tomos Wiliam fod y ffermwyr a'r gwŷr bonheddig yn credu ei fod ef hefyd yn cadw tipyn o'r arian iddo'i hunan. Gwyddai fod yr hen Ddaniel Dafis yn y siop y prynhawn hwnnw'n meddwl mai trwy gadw arian y tollborth iddo'i hunan yr oedd e wedi gallu tynnu papur pumpunt o'i boced i dalu am y brethyn.

Am y rhesymau hyn i gyd, doedd Tomos Wiliam erioed wedi bod yn hapus wrth ei waith fel ceidwad y tollborth. Ac yn awr roedd bywyd yn y bwthyn bach ar fin y ffordd fawr wedi mynd yn annifyr iawn. Roedd dynion wedi bod yn ei dŷ yn erbyn ei ewyllys ac wedi ei drin yn arw; roedd dyn neu ddynion wedi bod yn gwylio'r bwthyn ers dyddiau. A heno roedd dyn â mwgwd am ei wyneb wedi torri i'r tŷ ac wedi dychryn Gwen. Roedd y dihiryn hefyd wedi achosi gwerth punnoedd o golled iddo trwy dorri'r llestri a niweidio'r dodrefn yn y tŷ.

Ac yn awr fe deimlai Tomos Wiliam ei fod wedi cael
digon—roedd pethau wedi dod i'r pen. Roedd e am
roi'r swydd yn ôl a symud i ardal arall i ailddechrau
byw. Doedd hi ddim yn deg â Gwen i aros rhagor yn y
bwthyn. Ei ddyletswydd ef oedd gofalu am Gwen, ac fe
deimlai'n ddig wrtho'i hunan am iddo fynd i'r dref a'i
gadael wrthi'i hunan.

Dechreuodd feddwl eto am y dyn â'r mwgwd oedd
wedi torri i mewn i'r tŷ. Pwy oedd e tybed? Ai un o
weision John Mansel? Neu ai lleidr cyffredin wedi torri
i'r tŷ er mwyn dwyn oedd e?

Aeth ei feddwl yn ôl i'r siop ddillad yn y dref ac at y
dyn hwnnw oedd wedi dod mewn a mynd allan heb
brynu dim. Cofiodd hefyd am y dyn oedd yn pwyso ar
Bont-y-glyn pan basiodd ar ei ffordd i'r dref ac am y
teimlad oedd ganddo ar y daith fod rhywun yn ei
ddilyn. Gwyddai wedyn mai'r dynion oedd yn ceisio
dod o hyd i'r etifedd bach a'r gŵr ifanc, Patrick
O'Kelly, oedd yn gyfrifol, er na allai brofi dim. Onid
gwas John Mansel oedd wedi ei ddilyn i'r dre, ac wedi
ei weld yn newid y papur pumpunt? Ac wedi gweld
hynny, onid fe oedd wedi mynd 'nôl nerth ei draed i'r
bwthyn i edrych a oedd yno ragor o bapurau tebyg, neu
unrhyw wybodaeth am y plentyn? Fe deimlai Tomos
Wiliam yn siŵr mai dyna oedd yr ateb i'r dirgelwch.

Y noson honno cyn mynd i gysgu yr oedd Tomos
Wiliam wedi dod i ddau benderfyniad pwysig. Roedd
e'n mynd i adael tollborth Pont-y-glyn ar unwaith, ac
roedd e'n mynd i yrru Gwen at ei chwaer i'r Hafod.
Wedyn byddai ef yn edrych o gwmpas am waith arall.

Ond cyn hynny roedd e'n bwriadu mynd i Gaerfyrddin i chwilio am blas Dôl-y-brain, ac roedd e'n mynd i ddefnyddio'r gweddill o'r arian oedd yn aros o'r bumpunt i'w gadw'n fyw nes byddai ef wedi darganfod beth yn hollol oedd wedi digwydd yn y plas er pan fu farw Syr Henri Rhydderch.

Pennod 6

Ar ôl rhoi ei swydd yn ôl, gwerthu ei ddodrefn, a rhoi Gwen yn saff yng ngofal ei chwaer yn yr Hafod, cychwynnodd Tomos Wiliam ar ei daith i dre Caerfyrddin.

Dywedodd wrth ei chwaer ei fod yn bwriadu mynd i sir Gaerfyrddin—i'r gweithfeydd glo i edrych am waith. Nid oedd hynny'n gelwydd oherwydd ar ôl treulio rhai dyddiau yng Nghaerfyrddin yn gwneud ymholiadau roedd e'n bwriadu trio'i siawns yn y gweithfeydd glo. Roedd e wedi clywed fod cyflogau da'n cael eu talu yno i unrhyw un oedd yn barod i golli tipyn o chwys ym mherfeddion y ddaear.

Tybiodd mai gwell oedd peidio â dweud yr un gair am ei fwriad i ddarganfod sut oedd pethau yn Nôl-y-brain.

*   *   *

Roedd hi'n dechrau nosi pan gyrhaeddodd hen dref Caerfyrddin. Aeth i mewn i'r gwesty cyntaf a welodd ac eisteddodd wrth fwrdd a galw am fwyd a diod. Roedd e wedi blino fel pren. Roedd y ddwy filltir olaf o'r daith i'r dref wedi ymddangos fel deg. Roedd gwŷr ar geffylau wedi ei basio a theimlai'n ddig wrthynt fod ganddynt greaduriaid mor gyflym i'w dwyn i ben eu taith.

Edrychodd o gwmpas cegin fawr y dafarn a gwelodd fod y lle'n lân a chysurus yr olwg. Gan ei bod hi'n gynnar yn y nos nid oedd fawr neb o gwmpas. Ond yr oedd gŵr y tŷ yn ddyn siaradus.

'Ydych chi wedi teithio 'mhell, ŵr dierth?' gofynnodd.

'O sir Benfro,' atebodd Tomos Wiliam. 'Mi fydda i am bryd o fwyd, ac fe garwn i aros 'ma heno os oes modd.'

'Cewch ar bob cyfri. Fe gaiff un o'r morynion ddangos eich stafell wely i chi yn nes ymlaen.'

'Diolch; rwy'n meddwl noswylio'n weddol gynnar . . .'

'Fel y mynnoch chi, wrth gwrs. Fydd y pryd bwyd ddim yn hir nawr.'

Bu distawrwydd rhyngddynt am funud. Yna penderfynodd Tomos Wiliam ddechrau holi—gan ddweud tipyn o gelwydd yr un pryd.

'Y . . .' meddai, 'tybed a allech chi ddweud wrtha i ble mae plas Dôl-y-brain?'

'Dôl-y-brain? Medra, wrth gwrs. Dyw e ddim mwy na rhyw dair milltir o'r fan yma.'

'A!' meddai Tomos Wiliam. 'Mae gen i berthynas bell yn forwyn yno, ac rown i'n meddwl—gan 'mod i yn y cyffinie y gallwn i alw i' gweld hi fory.'

'O ie?' meddai'r tafarnwr. 'Ydy'ch perthynas wedi bod 'na'n hir?'

'O ydy, rwy'n meddwl 'i bod hi wedi bod yna am nifer o flynyddoedd.'

'Roedd hi yna gyda'r hen Syr, felly?'

'Syr Henri Rhydderch ontefe? Oedd.'

'Mae hi wedi gweld tipyn o newid 'te, debyg iawn.'

'Beth ŷch chi'n feddwl?'

'O mae pethe wedi newid tipyn tua'r plas yna wedi i'r hen Syr farw, dyna rwy i wedi glywed.'

'O?'

'Ydyn. Neithiwr roedd Watcyn, hen arddwr y plas, mewn fan hyn. Roedd e'n dweud 'i fod e wedi gadel echdoe ar ôl cael ffrae gyda'r dyn newydd 'na sy'n rhedeg y lle—Mansel. Roedd yr hen Watcyn wedi bod ugain mlynedd gyda'r hen Syr, medde fe. Roedd e'n dweud fod y dyn newydd 'ma'n ceisio cael gwared o'r rhan fwya o'r gweision a'r morynion oedd gyda'r hen Syr. Ydych chi'n siŵr fod eich perthynas chi yno o hyd?'

'Na, fedra i ddim bod yn siŵr; dwy i ddim wedi clywed oddi wrthi ers tro.'

'Wel, fe gewch chi weld fory. Croesi'r afon Tywi a mlaen wedyn am ryw dair milltir ar ffordd Cydweli— fe ddwed unrhyw un wrthoch chi wedyn . . .'

'Diolch.' Ar y gair daeth morwyn fach ddel â'i bryd bwyd i Tomos Wiliam.

*   *   *

Fore trannoeth cerddodd Tomos Wiliam am dipyn o gwmpas strydoedd hen dre Caerfyrddin. Yr oedd mewn penbleth.

Cyn codi o'i wely'r bore hwnnw roedd syniad gwyllt wedi dod i'w ben. Os oedd John Mansel yn cael gwared â nifer o weision a morynion—y rhai oedd wedi bod gyda'r hen Syr—beth petai ef yn mynd i'r plas i geisio am le un ohonyn nhw? Roedd e bron marw eisiau gweld y plas enwog oedd yn eiddo—a dweud y gwir—i'r plentyn y bu ef a Gwen yn gofalu amdano yn eu bwthyn. Fe garai fynd i mewn iddo a cherdded o gwmpas ei neuaddau mawr. Yr unig swydd y teimlai Tomos Wiliam y gallai ymgeisio amdani oedd swydd y garddwr. Garddwr oedd ei dad—ar stad Walter Beynon Llysmaen yn sir Benfro, ac roedd e wedi gwylio'i dad, ac wedi helpu droeon i gadw'r gerddi a'r lawntiau yn gymen.

Ond wrth ei frecwast yn y dafarn y bore hwnnw, roedd Tomos Wiliam wedi chwerthin am ben y syniad o fynd i Ddôl-y-brain i ofyn am waith. Byddai'n cael ei adnabod fel ceidwad y tollborth ar unwaith gan John Mansel neu un o'i weision.

Ond yn awr eto, ac yntau'n edrych i mewn trwy ffenest un o siopau mawr y dre, roedd y syniad wedi mynnu dod yn ôl. Yng ngwydr y ffenest gallai weld ei lun ei hunan yn glir. Beth petai'n siafio ei farf fawr, gochlyd? Fe dyngai lw na allai neb ei adnabod wedyn.

Cofiodd y stori am Jeremeia'r gof slawer dydd. Fe glywsai ei dad yn adrodd lawer gwaith fel yr oedd y dyn cellweirus hwnnw wedi cael dillad newydd un tro, ac yn penderfynu'n sydyn siafio'i farf fawr yr un pryd. Yna aeth i'r capel fore Sul ac eistedd yn ymyl hen gyfaill iddo, ond heb gymryd arno ei fod yn ei adnabod. Bu'r cyfaill yn taflu llygad yn amal arno yn ystod y cwrdd, a phan aethant allan fe ddechreuodd holi'n eiddgar iawn pwy oedd y dyn 'dierth' oedd wedi eistedd yn ei ymyl!

Tynnodd Tomos Wiliam ei law trwy ei farf drwchus ef ei hun. Yr oedd yn hoff iawn ohoni. Roedd hi wedi bod gydag ef ers blynyddoedd a gwyddai y byddai'n teimlo'n rhyfedd iawn hebddi. Efallai y byddai'n teimlo'n oer hefyd, ac yn cael annwyd.

Yna'n sydyn trodd oddi wrth ffenest y siop a cherdded i lawr at siop y barbwr, oedd â pholyn coch a gwyn uwchben y drws. Aeth i mewn i'r siop. Nid oedd neb yno ond y barbwr ei hun—dyn tenau, llwyd fel corff, a hwnnw'n cnoi baco'n brysur. Dywedodd Tomos Wiliam ei fod am eillio'i farf a thorri tipyn o'i wallt. Gosododd y barbwr ef mewn cadair o flaen drych a chrac mawr ynddo.

'Hym,' meddai, gan fodio'r farf, 'mae hi wedi tyfu'n gryf.'

Yna poerodd sudd baco o'i geg i'r grât â sŵn mawr. Cydiodd mewn siswrn a dechreuodd ar ei waith. Yn y drych gwelai Tomos Wiliam gudynnau mawr o'i farf yn syrthio i'r llawr. Cyn bo hir edrychai ei wyneb fel cefn dafad newydd ei chneifio. Roedd y cyfnewidiad mawr wedi dechrau. Yna, ar ôl poeri i'r grât unwaith eto, aeth y barbwr i'r cefn a daeth yn ôl â bowlen fechan o ddŵr poeth. Yna cydiodd mewn rasal loyw o'r silff yn ymyl y drych. Roedd strapen ledr, lydan yn hongian wrth y silff, ac yn awr tynnodd y rasal i fyny ac i lawr ar hyd honno er mwyn cael min da arni. Wedyn gosododd yr erfyn o'r neilltu a chymryd brws siafio a sebon yn ei ddwy law. Cyn bo hir roedd wyneb Tomos Wiliam yn wyn gan wablin sebon trwchus. Yna cydiodd y barbwr yn y rasal drachefn. Gwingodd gan boen cyn gynted ag y dechreuodd y barbwr ei siafio, a heb yn wybod iddo'i hunan fe geisiodd dynnu'r llaw a ddaliai'r rasal oddi ar ei wyneb.

'Beth sy'n bod?' gofynnodd y barbwr.

'Y—dim,' meddai Tomos Wiliam, 'ewch ymla'n â hi.'

Ac ymlaen yr aeth y barbwr. Ond erbyn hyn roedd Tomos Wiliam wedi cyfarwyddo â'r boen. Caeodd ei lygaid yn dynn er mwyn gallu ei ddiodde'n well. Clywai sŵn cras y rasal yn torri'i farf styfnig. Dychmygai fod croen ei wyneb yn glwyfau i gyd, ond pan agorodd ei lygaid eto, fe welodd fod ei groen yn llyfn ac yn lân, ac yn sgleinio ar ôl y dŵr a'r sebon.

Yna roedd y barbwr wedi gorffen. Cododd Tomos Wiliam o'i gadair ac aeth yn nes at y drych. Edrychodd yn syn arno'i hunan, a gwyddai na allai Gwen ei ferch, na'i chwaer Catrin ei adnabod y funud honno. Yn wir, ni allai ei adnabod ei hun; fe deimlai ei fod yn edrych ar wyneb rhywun arall—rhyw ddieithryn—yn y drych. Talodd y barbwr am ei waith ac aeth allan unwaith eto i'r dref.

*   *   *

Yr oedd hi'n ddau o'r gloch y prynhawn pan ddringodd Tomos Wiliam y grisiau mawr oedd yn arwain at ddrws derw, addurnedig Dôl-y-brain. Nid oedd neb o gwmpas a chafodd amser i weld sut le ydoedd cyn canu'r gloch. Yr oedd yn lle hardd ac urddasol iawn, ac roedd iorwg yn tyfu dros ei furiau o'r llawr hyd y bondo. Yn awr yr oedd dail yr iorwg yn goch fel gwaed ac edrychent yn dlws dros ben. Roedd e wedi sylwi ar y gerddi wrth ddod i fyny'r lôn, a gallai weld, wrth yr olwg gymen a glân oedd arnynt, fod yr hen Watcyn wedi gofalu'n dda amdanynt.

Canodd y gloch.

Ymhen hir a hwyr daeth geneth ifanc i agor y drws.

'Ie?' meddai gan lygadu Tomos Wiliam.

'Y . . . rwy i wedi clywed fod swydd garddwr yn rhydd yma . . . ac rwy i wedi dod i weld os oes siawns i mi gael . . . '

'Gwell i chi ddod mewn,' meddai'r forwyn ar ei draws.

Aeth Tomos Wiliam i mewn ar ei hôl a'i gael ei hun mewn neuadd hardd.

'Fe ddweda i wrth Mr Mansel,' meddai'r forwyn. 'Fe ddylsech chi fod wedi mynd i'r drws cefn, cofiwch.'

Cyn pen fawr o dro fe ddaeth yr eneth yn ôl.

'Dewch gyda fi,' meddai.

Arweiniodd Tomos Wiliam ar hyd coridor eang. Stopiodd wrth ddrws a churo. Clywodd Tomos Wiliam lais cryf yn gweiddi, 'Dewch!' Y funud nesaf yr oedd yn sefyll o flaen John Mansel, y dyn â'r llygaid creulon a welsai ddiwethaf wrth y glwyd yn ymyl Pont-y-glyn.

Am foment edrychodd y dyn tew arno o'i gorun i'w

sawdl. Teimlodd Tomos Wiliam ias yn ei gerdded. A oedd yn mynd i'w adnabod er iddo siafio'i farf?

'Wel?' meddai'r gŵr bonheddig yn sarrug.

'Y . . . rown i wedi clywed, syr . . . y . . . fod swydd garddwr yn mynd yma.'

'Ymhle clywest ti hynny?'

'Y . . . yng Nghaerfyrddin.'

'Ym mhle yng Nghaerfyrddin?' Roedd y dyn tew yn ddrwgdybus ohono, meddyliodd Tomos Wiliam.

'Mewn tafarn,' dywedodd.

'Mewn tafarn iefe? Wel, wyt ti'n arddwr?'

'Ydw, syr, a 'nhad o 'mlaen i. Roedden ni'n gweithio ar stad Mr Beynon Llysmaen.'

'Wel, pam y gadewaist ti?'

'Y . . . fel y gwyddoch chi, syr . . . fe gollodd Mr Beynon ddwy o'i longau masnach mewn storm ar y môr ac fe fu rhaid iddo werthu bron y cyfan o'r stad . . . a doedd yna ddim gwaith i ni wedyn.' Diolchai Tomos Wiliam fod y rhan fwyaf o'r hyn a ddywedai yn wir. Yr unig beth oedd yn gelwydd oedd dweud ei fod ef ei hun wedi bod yn arddwr yn Llysmaen—doedd e erioed wedi bod. Ac, wrth gwrs, roedd ei dad wedi marw flynyddoedd cyn i Mr Beynon golli ei longau a'i stad.

'Rwy'n cofio rhywbeth . . .' meddai'r gŵr bonheddig. Yna edrychodd eto ar Tomos Wiliam—am amser hir y tro hwn—heb ddweud dim.

'O'r gore,' meddai o'r diwedd, '*mae* yma le i arddwr, ac fe gei di roi cynnig arni. Cofia, mi fydda i'n cadw llygad barcud ar dy waith di, ac mi fydda i'n disgwyl i ti wneud popeth fydda i'n ofyn i ti. Wyt ti'n deall—popeth!'

'Wrth gwrs, syr.' Roedd Tomos Wiliam yn gynhyrfus. Roedd e wedi cael gwaith yn Nôl-y-brain!

'Deuddeg punt y flwyddyn fydd dy gyflog di,' meddai John Mansel wedyn. 'Cymer e neu beidio.'

Deuddeg punt y flwyddyn! Roedd ei dad yn cael mwy na hynny pan oedd e'n arddwr ifanc yn Llysmaen. A fentrai ofyn am ragor? Penderfynodd wneud.

'Roeddwn i wedi meddwl cael rhagor, syr.'

'Oeddet ti wir? Fe gawn ni weld yn nes ymlaen yn y gwanwyn 'co. Does 'na fawr o waith yn y gerddi'r amser 'ma o'r flwyddyn. Fel y dwedes i—os nad wyt ti am y swydd . . .'

'O ydw, rwy i am y swydd, syr.'

'O'r gore 'te, dyna ddigon o siarad. Fe gaiff y forwyn fynd â thi i'r gegin, ac fe gaiff yr hen Ruth ddangos i ti dy stafell wely. Bant â thi!'

Aeth Wiliam Tomos allan gan deimlo ei fod wedi cael ei drin fel ci gan John Mansel. Ond roedd ei galon yn curo'n gyflymach serch hynny. Onid oedd y dyn wedi dweud enw oedd yn gyfarwydd iddo—RUTH? Ruth oedd enw hen nyrs Mary O'Kelly. Roedd hi yn y plas o hyd felly? Os mai'r un Ruth oedd hon â'r un y soniai llythyr hir Mary O'Kelly amdani fe allai gael gwybod llawer o bethau ganddi.

A'r noson honno fe gysgodd Tomos Wiliam ym mhlas enwog Dôl-y-brain. Mae'n wir mai yn rhan y gweision a'r morynion o'r plas y cysgodd e, ac nad oedd ei stafell wely ddim mwy na'r stafell wely oedd ganddo yn y tollborth. Ond yr oedd dan yr un to â John Mansel serch hynny, ac yn y tŷ lle'r oedd yr hen Syr a'i ferch Mary wedi marw o'r frech wen.

Doedd e ddim, wedi'r cyfan, wedi cael cyfle i gwrdd â'r Ruth y soniodd y gŵr bonheddig amdani. Roedd y forwyn wedi mynd i'r gegin ac wedi dod 'nôl a mynd ag ef i'r llofft i ddangos ei stafell iddo.

Cododd o'i wely gyda'r wawr drannoeth. Aeth i lawr i'r gegin lle'r oedd y morynion wrthi'n brysur yn paratoi brecwast. Deuai arogl hyfryd bacwn yn ffrio i'w ffroenau wrth nesáu at y drws. Yn wir yr arogl a'i arweiniodd at y lle.

Pan aeth i mewn i'r gegin gwelodd fod yno bedair o ferched, ac un hen wraig yn eistedd wrth y tân.

'Chi yw'r garddwr newydd, mae'n debyg?' meddai'r hen wraig.

'Ie.'

'Wel, gobeithio y cewch chi well hwyl ar y meistri newydd nag a gafodd yr hen Watcyn.' Roedd tinc chwerw yn ei llais. Edrychodd Tomos Wiliam ar wyneb rhychiog yr hen wraig. Ai hon oedd Ruth?

Ond roedd y ddynes yn siarad eto.

'Mae gweision a morynion yn mynd a dod yn gyflym iawn 'ma'r dyddiau hyn. Does neb ohonon ni'n siŵr pwy fydd yn cael mynd nesa.'

'Y . . . roeddwn i wedi clywed fod yr hen Syr wedi marw,' meddai Tomos Wiliam.

'Mwy na'r hen Syr, 'y machgen bach i,' meddai'r hen wraig. 'Y Ledi Mary hefyd—yr eneth y bues i'n nyrs—na yn fwy na nyrs, yn fam iddi, pan fuodd 'i mam iawn farw. O, mae pethe wedi mynd yn rhyfedd yn hanes teulu Dôl-y-brain, coeliwch chi fi.'

'Dewch i gael eich brecwast,' meddai un o'r morynion —dynes fach dew a ffedog lân, wen amdani. 'Y . . . wn i ddim mo'ch enw chi . . . ?'

'Tomos Wiliam, ac rwy'n dod o sir Benfro. Roedd fy nhad yn arddwr gyda Mr Beynon, Llysmaen.'

'A! Rown i'n nabod Mr Beynon yn dda. Roedd e'n dod yma ambell dro i weld yr hen Syr. Dyn neis iawn. Fe aeth yn ddiflas arno ynte druan cyn diwedd 'i oes,' meddai'r hen wraig o'r gornel.

'Do, fe gollodd bron y cyfan.'

Eisteddodd Tomos Wiliam wrth y bwrdd ac estynnodd y forwyn fach dew blatiaid o gig moch gwyn ac un wy ar blât glas iddo. Roedd darnau o fara trwchus ar blât mawr o'i flaen, a dechreuodd fwyta'n awchus.

Cyn bo hir fe ddechreuodd gweision eraill y plas gerdded i mewn o un i un at 'u brecwast. Cyflwynodd y forwyn fach dew Tomos Wiliam iddynt, gan ddweud mai ef oedd y garddwr newydd. Nid oedd neb ohonyn nhw'n gyfeillgar iawn tuag ato, a gwyddai rywsut eu bod yn teimlo'n ddig wrtho am mai ef oedd wedi cymryd swydd yr hen Watcyn.

Ond yr oedd meddwl Tomos Wiliam y funud honno ar yr hen wraig wrth y tân. Gwyddai yn awr mai'r Ruth y soniai'r llythyr amdani oedd hi. Dyheai am gael siarad â hi. Fe hoffai yn fwy na dim ei holi ynghylch marwolaeth Mary O'Kelly a'r hyn a ddigwyddodd ar ôl hynny. Ond a allai fentro? Beth wnâi hi pe bai'n dechrau ei holi? Mynd at John Mansel i ddweud fod y garddwr newydd yn holi gormod o gwestiynau? Doedd hi ddim yn swnio fel pe bai ganddi olwg fawr iawn ar y meistr newydd. Ond wedyn . . .

'Os ydych chi wedi gorffen eich brecwast,' meddai'r hen wraig o'r sgiw wrth y tân, 'fe ddo i i ddangos y gerddi i chi.'

'Na, na,' meddai Tomos Wiliam, 'fe gaiff rhywun arall . . .' Roedd e'n meddwl na ddylai ddisgwyl i hen wraig fel hi ei dywys o gwmpas y gerddi.

Chwarddodd yr hen wraig, gan godi o'i sedd. Edrychodd o gwmpas y bwrdd o un wyneb gwgus i'r llall.

'Wn i ddim,' meddai wedyn, 'rwy'n ofni, efalle, y bydd rhaid i chi fodloni arna i, wyddoch chi!'

Cydiodd yn ei ffon o'r gornel a mynd am y drws. Aeth Tomos Wiliam ar ei hôl. Arweiniodd yr hen wraig y ffordd i'r awyr agored ac ar hyd llwybr heibio i dalcen y plas. O'r fan honno gallent weld y gerddi o'u blaen. Lawntiau gwyrdd, er ei bod yn aeaf, coed bythwyrdd, coed ffrwythau, llwyni a chloddiau cymen a threfnus— dyna a welai Tomos Wiliam o flaen ei lygaid. Ac ar y gwaelod, yn ymyl y mur uchel oedd o gwmpas y gerddi i gyd, gwelai dŷ gwydr mawr.

'Dyma nhw'r gerddi,' meddai'r hen wraig. 'Roedd Watcyn yn arddwr ardderchog, ac mae e wedi'u gadael nhw mewn cyflwr da. Ond gwaetha'r modd, does yma neb yn awr sy'n hidio rhyw lawer sut mae'r gerddi'n edrych.'

Yn sydyn, penderfynodd Tomos Wiliam adrodd ei stori wrth yr hen wraig. Os gallai rhywun ei helpu, meddyliodd, hon oedd hi. Ac os mai mynd yn syth at John Mansel a wnâi hi, fyddai ganddo ddim i'w wneud ond rhedeg am ei fywyd.

'Y . . .' dechreuodd. Ond ni wyddai sut i ddechrau.

'Mm—m—?' meddai'r hen wraig, gan droi ei phen i edrych i'w wyneb.

'Rwy'n . . . rwy'n . . . gwybod ble mae'r hogyn bach,' rhuthrodd y geiriau'n herciog o enau Tomos Wiliam.

Edrychodd yr hen wraig yn syn arno.

'Beth ŷch chi'n ddweud ddyn? Yr hogyn bach? Pa hogyn bach?'

Ond sylwodd Tomos Wiliam fod newid wedi dod drosti. Roedd y llaw a ddaliai'r ffon yn crynu.

'Y 'tifedd bach, Arthur—ŵyr Syr Henri.' Wedi mentro torri'r garw, gwyddai Tomos Wiliam fod rhaid mynd ymlaen.

Dechreuodd yr hen wraig gerdded yn gyflym i lawr am ben draw'r lawnt at y grisiau oedd yn mynd i lawr at y gerddi. Deallodd Tomos Wiliam ei bod yn ceisio mynd mor bell oddi wrth y plas ag y medrai rhag ofn fod yna glustiau'n gwrando.

'Pwy ydych chi?' gofynnodd ar ôl iddynt gyrraedd gwaelod y grisiau.

'Tomos Wiliam—ceidwad tollborth Pont-y-glyn yn sir Benfro oeddwn i hyd yn ddiweddar. Ond un noson dywyll . . .'

Ac yna adroddodd Tomos Wiliam yr holl hanes wrth yr hen wraig. A thra oedd e'n adrodd fe gerddai'r hen wraig yn araf, ac eto'n gynhyrfus rywfodd, o'i flaen i lawr y llwybr. Pan ddaeth i ben â'i stori, fe drodd i'w wynebu ac roedd gwên hyfryd ar ei hwyneb rhychiog.

'Diolch fo i Dduw!' meddai, a'i hen lais yn gryndod i gyd. 'Mae'r bychan yn fyw felly?' Tynnodd hances wen o boced ei ffedog ddu a sychodd ymaith ddeigryn gloyw oedd yn cronni yn ei llygaid.

'Mae'r 'tifedd bach yn fyw! Ac mae 'na obaith eto felly!'

Yr oedd hi dan deimlad dwys, a'r llaw a ddaliai'r ffon yn ysgwyd yn ddi-baid.

'Roeddwn i wedi meddwl, wir, fod Duw'n mynd i adael i'r drygionus lwyddo. Roedd bai arna i am feddwl y fath beth—rwy'n gallu gweld hynny nawr. Ond roedd popeth fel petai'n gweithio gyda nhw, wyddech chi—rown i wedi gwangalonni. Mae'r newyddion rŷch chi wedi'u rhoi i fi nawr wedi rhoi gobaith newydd i fi. Rown i'n ofni fod y bychan a'r Gwyddel wedi colli'u bywyde yn y storm neu wedi cael 'u lladd mewn damwain. Hyd yn oed os oedd Mr O'Kelly wedi llwyddo i fynd ag Arthur bach i Iwerddon, fe fydde'n beryglus iddyn nhw ddod 'nôl . . .'

'Peidiwch â meddwl am bethau fel'na nawr,' meddai Tomos Wiliam, 'mae'r un bach, beth bynnag, yn ddiogel ac yn iach 'i wala. Ond am y gŵr ifanc, dwy i ddim mor siŵr.'

Cofiodd yr hen wraig yn sydyn eu bod yng ngolwg ffenestri mawr y plas, hyd yn oed yn y fan honno.

'Rwy'n ofni na allwn ni ddim aros rhagor yn y fan yma; rwy'n teimlo'n siŵr fod yna lygaid yn ein gwylio ni . . . fe gawn ni gyfle eto . . . Dŷch chi ddim wedi cwrdd â'r lleill hyd yn hyn.'

'Y lleill?'

'Ie. Dynion John Mansel. Dŷn nhw ddim yn codi mor fore â ni, y rhai sy ar ôl o weision a morynion yr hen Syr. Maen nhw'n cael 'u brecwast ar ein hôl ni.' Ar y gair trodd yr hen wraig yn ôl am y plas a dechrau cerdded i'r cyfeiriad hwnnw. Aeth Tomos Wiliam gyda hi.

'Y . . . beth allwn ni'i wneud?' gofynnodd. Ysgydwodd yr hen wraig ei phen.

'Wn i ddim,' meddai. Yna dyna hi'n stopio ac yn troi ato. Edrychodd ei hen lygaid yn hir ac yn graff arno, fel pe bai'n ceisio ei bwyso a'i fesur.

'Rwy'n mynd i ymddiried ynoch chi, Tomos Wiliam,' meddai. 'Does yna neb arall, ond chi.'

Plygodd Tomos Wiliam ei ben.

'Mae ewyllys yr hen Syr gen i,' meddai'r hen wraig yn ddistaw.

Cododd Tomos Wiliam ei ben. 'Y . . . rown i'n amau . . . falle . . . mai gennych chi yr oedd hi . . . os nad oedden nhw wedi ei chael hi.'

'Maen nhw wedi chwilio ymhobman, pob drôr a phob twll a chornel yn fy stafell i—hyd yn oed 'y nillad i. Ond gen i mae hi o hyd. Mae hi wedi 'i gwnïo y tu mewn i'r hen sgert ddu 'ma sy amdana i'r funud 'ma. Ond nawr rwy i am i chi 'i chael hi, Tomos Wiliam.'

'Fi! O na, mae hi'n fwy diogel gyda chi, wir i chi.'

'Nac ydy, Tomos Wiliam; fe all unrhyw beth ddigwydd i mi. Rwy i'n hen iawn yn un peth, a pheth arall rwy i yn yr un tŷ â'r dihirod. Rwy i am weld yr ewyllys yn mynd allan o'r tŷ 'ma. Rwy i am iddi fynd i'r bobol dda yna sy'n edrych ar ôl y 'tifedd bach. Gyda nhw y dylai hi fod, fel y gallan nhw fynd at gyfreithiwr . . .'

'Y . . . ga i ofyn, os nad ydw i'n rhy haerllug yn gofyn y fath gwestiwn . . . y . . . i bwy mae'r gŵr bonheddig wedi gadael Dôl-y-brain a'r cyfoeth a . . .?'

'Na, dŷch chi ddim yn haerllug, Tomos Wiliam—fe alla i ddweud wrthoch chi fod yr hen Syr wedi gadael y cyfan i Arthur.'

'Whiw! Mae'r plentyn yn gyfoethog iawn felly, os gellir profi . . .'

'O fe fydd hi'n ddigon hawdd profi pan ddaw'r cyfle. Ydy, mae'r 'tifedd bach yn un o'r plant mwya cyfoethog yn sir Gaerfyrddin. Nid yn unig y plas a'r tiroedd, cofiwch chi. Ond y darluniau a'r dodrefn costus, y llyfre a'r llestri amhrisiadwy. Ond mae'r tad a'r mab— John a Harold Mansel—yn gwerthu pethau o'r tŷ yn barod. Mae Harold wedi mynd i ffwrdd i Lundain ers wythnos, ac mae gen i syniad beth mae e'n 'i neud yno. Mae 'na ddau bictiwr costus wedi diflannu o furiau'r oriel ar yr ail lawr, ac rwy'n siŵr mai dyna neges Harold yn Llundain—gwerthu'r ddau am arian mawr. Fe welwch felly fod rhaid i ni wneud rhywbeth ar unwaith. Fe fydd rhaid i chi fynd â'r ewyllys . . . a gadael eich gwaith . . .'

Erbyn hyn roedd y ddau wedi cyrraedd y lawnt o flaen y plas unwaith eto. Wrth gerdded ar draws y lawnt gallent weld John Mansel yn sefyll yn un o ffenestri mawr y plas yn eu gwylio.

Unwaith eto aeth ias fach o ofn trwy gorff Tomos Wiliam wrth weld yr olwg filain ar ei wyneb.

Pennod 7

Yn ystod y dyddiau nesaf ni chafodd Tomos Wiliam gyfle i gael un gair pellach â'r hen wraig. Yn wir, dim ond unwaith y cafodd e gip arni, a'i gweld yn sefyll yn un o ffenestri'r plas a wnaeth e'r pryd hynny.

Bu wrth ei waith yn y gerddi, er nad oedd gormod i'w wneud yno yr amser hwnnw o'r flwyddyn. Unwaith daeth y gŵr bonheddig, John Mansel, i lawr o'r tŷ mawr i weld sut oedd e'n dod ymlaen. Bu'n ei holi'n fanwl ynglŷn â'i gartref yn sir Benfro, a ble'r oedd e'n gweithio cyn dod i Ddôl-y-brain. Fe deimlai Tomos Wiliam yn anesmwyth iawn. Tybed a oedd y dyn yn ei amau? Beth oedd diben yr holl holi? Gan nad oedd ef yn un da am ddweud celwyddau, ofnai Tomos Wiliam fod ei atebion yn swnio'n amheus! Ond o'r diwedd roedd y gŵr bonheddig wedi mynd yn ôl i'r plas. Wrth iddo droi ymaith, meddyliodd Tomos Wiliam iddo weld hanner gwên slei yn chware o gwmpas ei wefusau. Ond efallai mai ef oedd yn dychmygu, meddyliodd wedyn.

Wrth ei waith bob dydd, ac yn ei wely bob nos, meddyliai am yr hyn yr oedd yr hen wraig wedi ei ddweud ynglŷn â'r ewyllys.

'Rwy i am i chi ei chael hi, Tomos Wiliam . . .' dyna'r

oedd hi wedi 'i ddweud. Roedd e wedi penderfynu beth i'w wneud y funud y deuai'r ewyllys i'w ddwylo. Mi fyddai'n gadael ei waith ar unwaith ac yn 'i gwân hi am sir Benfro a fferm yr Hafod ar lethr y mynydd heb yn wybod i neb. Ni wyddai'n iawn beth i'w wneud wedyn, os cyrhaeddai yno'n ddiogel; byddai rhaid trefnu gyda Catrin ei chwaer, a'i gŵr.

Ond ble'r oedd yr hen wraig? Roedd hi yn y gegin y bore cyntaf pan ddaeth ef i lawr am 'i frecwast. Ond doedd hi ddim wedi bod yn y gegin wedyn o gwbwl pan oedd ef yno. Pam roedd hi'n oedi, os oedd hi'n bwriadu iddo ef gael yr ewyllys? Pam roedd hi'n cadw draw oddi wrtho? Roedd hi wedi bod yn serchog iawn tuag ato y diwrnod cyntaf hwnnw. A oedd hi wedi newid ei meddwl wedi'r cyfan?

Yr oedd Tomos Wiliam mewn penbleth, ac fel yr âi'r dyddiau heibio heb sôn am Ruth, dechreuodd feddwl fod rhywbeth o'i le. Mentrodd holi'r morynion eraill. Cafodd wybod ei bod hi'n cadw yn ei hystafell ei hunan. A oedd hi'n sâl, felly? Ysgydwodd y forwyn ei phen ac ni fynnai ddweud dim rhagor. Gwnaeth hyn iddo ofidio mwy, ac yn awr fe deimlai'n siŵr fod yr hen wraig naill ai wedi penderfynu peidio â rhoi'r ewyllys yn ei ofal, neu roedd John Mansel yn ei rhwystro rhag dod i'r gegin am ryw reswm.

Y noson ganlynol cafodd gyfle i holi tipyn ar y ddynes fach dew oedd wedi rhoi ei frecwast iddo y bore cyntaf hwnnw. Erbyn hyn fe wyddai mai ei henw oedd Elen. Deallodd ei bod hi wedi bod yn forwyn yn y plas ers saith mlynedd ac felly'n gwybod sut oedd pethau yn

Nôl-y-brain yn amser yr hen Syr. Dywedodd na fyddai Ruth byth yn bwyta yn y gegin y dyddiau hynny—byddai'n cael ei bwyd bob amser gyda'r bobl fonheddig yn ystafell frecwast neu ystafell ginio'r plas. Dywedodd fod hyn yn hen arfer er pan oedd Miss Mary'n eneth fach a Ruth yn nyrs iddi. Dim ond er pan fu farw'r hen Syr, a phan ddaeth John Mansel a'i fab, yr oedd Ruth wedi gorfod dod i'r gegin at y gweision a'r morynion i gael ei bwyd. Ond, dywedodd Elen, roedd ei stafell wely hi o hyd yn y rhan arall o'r plas, ac nid yn rhan y gweision a'r morynion.

Gan bwyll bach a phob yn dipyn, fe ddaeth y syniad i ben Tomos Wiliam fod yr hen Ruth *yn* cael ei chadw'n garcharor yn y plas. Roedd hi'n cael ei rhwystro rhag dod i lawr i'r gegin at y gweision a'r morynion. Pam? Cofiodd ei fod wedi bod yn ddigon ffôl i ddweud wrth yr hen wraig fod Arthur yn fyw ac iach—*yn ymyl y plas*. A oedd rhywun wedi ei glywed? Yna cofiodd yr olwg ar wyneb John Mansel, yn y ffenest, pan ddaeth ef a'r hen wraig i fyny'r grisiau o'r gerddi. Nid oedd wedi gweld golwg mor filain ar wyneb neb erioed. Pam roedd e'n edrych felly? Ai am ei fod wedi clywed rhywfaint o'r hyn a ddywedodd wrth yr hen wraig? Neu am ei fod yn amau fod yna ryw gyfrinach rhyngddo ef—Tomos Wiliam—a'r hen Ruth? Yna dechreuodd ei feddyliau redeg yn wyllt: . . . tybed nad oedd John Mansel wedi ei nabod o'r dechrau ar waetha'r ffaith ei fod wedi eillio'i farf?

Yn sydyn fe benderfynodd fod *rhaid* iddo, rywsut neu'i gilydd, gael gair â'r hen wraig a hynny ar unwaith.

Ni allai ddioddef bod ar bigau'r drain fel hyn o hyd. Fe deimlai fel gadael Dôl-y-brain cyn gynted ag y gallai. Roedd rhywbeth ynghylch y lle oedd yn codi dychryn arno ac yn rhoi straen ofnadwy ar ei nerfau. Roedd pawb yn gwylio'i gilydd yn Nôl-y-brain—pawb yn amau ei gilydd—ac roedd y lle wedi mynd yn lle sinistr iawn i fyw ynddo. Ac fe wyddai'n iawn pwy oedd achos hyn oll.

Fe deimlai fel mynd ar unwaith drwy'r porth mawr ar waelod y lôn ac allan i'r ffordd fawr i blith pobl gyfeillgar. Ond roedd yr hen wraig wedi gofyn iddo fynd â'r ewyllys gydag ef, a doedd e ddim am fynd heb roi gwybod iddi.

Yr oedd un forwyn fach yn y plas o'r enw Nansi. Roedd hi'n eneth serchog, ac roedd Tomos Wiliam a hithau wedi dod yn dipyn o ffrindiau. Roedd hi tua'r un oed â Gwen ei ferch ac efallai fod gan hynny rywbeth i'w wneud â'r ffaith eu bod wedi dod yn gyfeillion. Byddai Nansi'n mynd yn aml i'r rhan arall o'r plas lle'r oedd y gwŷr bonheddig—i osod y byrddau ar gyfer brecwast, cinio a swper, ac i glirio'r llestri ar ôl i'r 'gwŷr mawr' orffen bwyta.

Holodd Tomos Wiliam Nansi'n fanwl a oedd hi wedi gweld yr hen Ruth yn cael 'i bwyd gyda'r gŵr bonheddig o gwbl. Dywedodd Nansi nad oedd hi ddim. Ble, felly, oedd hi'n cael ei bwyd, gan nad oedd hi ddim yn dod i'r gegin? Atebodd Nansi ei bod hi'n meddwl ei bod hi'n sâl ac yn cael ei bwyd yn ei stafell ei hunan. Yn sâl? Ond roedd Tomos Wiliam wedi ei gweld yn y ffenest . . . Ond wedi meddwl, fe allai'r hen wraig fod yn sâl yn ei hystafell. Gwnaeth hynny iddo feddwl fod yn rhaid iddo fynd ati ar unwaith . . . roedd hi'n hen . . . beth pe bai hi'n marw â'r ewyllys, fel y dywedodd hi, wedi ei gwnïo ym mhlygion ei hen sgert ddu?

Un noson ar ôl swper, a Tomos Wiliam yn barod i ddringo'r grisiau i'w ystafell wely, fe gyfarfu â Nansi yn dod i lawr. Dyma ei gyfle.

'Nansi,' meddai. Yna, stopiodd yn sydyn wrth syl-weddoli ei fod ar fin gofyn cwestiwn pergylus.

'Ie?' meddai'r eneth.

'Nansi,' meddai Tomos Wiliam wedyn.

'Ie, fi yw Nansi,' meddai'r eneth gan ddechrau chwerthin am ei ben.

'Wyt ti'n gwybod ble mae stafell wely'r hen Ruth?'

'Ydw . . . ond . . .'

'Gwrando Nansi fach . . . rwy i am i ti ddangos y ffordd i fi . . .'

'Na! Fedra i ddim. Does gynnoch chi ddim hawl mynd i'r rhan yna o'r plas a . . .'

'Ond mae'n *rhaid* i fi fynd, Nansi.'

'Rhaid i chi? Dwy i ddim yn deall.'

'Mae'n rhaid i fi gael gair â'r hen wraig—mae'n bwysig iawn.'

'Na, na. Pe bydde Mr Mansel yn eich gweld chi . . . !'

'Nansi,' meddai Tomos Wiliam, gan gydio yn ei braich, 'fedra i ddim egluro . . . ond rwy i am i ti 'nghoelio i fod *rhaid* i fi gael gair â'r hen wraig . . .'

Yr oedd llygaid brown y forwyn fach yn edrych yn graff arno.

'Na!' Yr oedd hi'n swnio'n fwy pendant y tro hwn.

Tynnodd Tomos Wiliam hanner coron o'i boced. 'Mae hwn i ti os gwnei di,' meddai. Agorodd y llygaid brown led y pen. Roedd hanner coron yn arian mawr i forwyn fach.

'O, o'r gore,' meddai gan gymryd y darn arian, 'ond cofiwch, os cewch chi'ch dala, nid arna i fydd y bai.'

'Na, nid arnat ti fydd y bai, 'ngeneth i,' meddai Tomos Wiliam gan dynnu anadl hir o ryddhad.

'Dilynwch fi,' ebe'r forwyn.

Aeth y ddau i fyny'r grisiau cul oedd yn arwain i lofft y morynion. Yna, ar ôl dod i'r landin, ymlaen ar hyd coridor hir a thywyll. Wrth fynd clywodd Tomos Wiliam y cloc yn nhŵr y plas yn taro wyth o'r gloch. Ymhen tipyn daethant at ddrws ym mhen draw'r coridor. Agorodd y forwyn fach ef yn ofalus a rhoi ei phen allan i weld a oedd rhywun yn y golwg yr ochr arall iddo. Yna gwnaeth arwydd ar Tomos Wiliam i'w dilyn. Yn sydyn fe'i cafodd Tomos Wiliam ei hun allan ar landin llydan a hwnnw'n olau i gyd. Uwchben yr oedd siandelîr crand ac o hwnnw roedd y golau'n dod. Fe deimlai'n gynhyrfus iawn yn awr. Gwyddai ei fod wedi cyrraedd y rhan o'r plas nad oedd hawl ganddo fynd yn agos ato—roedd e yn rhan y 'byddigions', a phe bai'n cael ei ddal byddai'n siŵr o gael ei gosbi'n drwm. Fe wnâi'r golau mawr iddo deimlo fel pe bai wedi ei ddal heb ddillad amdano.

Rhoddodd y forwyn fach ei bys ar ei gwefus fel arwydd iddo fod yn ddistaw, ac aeth yn ei blaen i ben arall y landin, lle'r oedd coridor arall yn arwain i rywle.

Roedd hwn yn lletach ac yn fwy golau na'r un y daethant ar hyd-ddo funud yn ôl.

Ar ôl mynd rai llathenni ar hyd y coridor yma, dyma'r forwyn fach yn stopio'n sydyn o flaen drws a hwnnw ynghau. Trodd at Tomos Wiliam, a heb ddweud yr un gair, pwyntiodd â'i bys at y drws. Yna trodd ar ei sawdl a mynd yn ôl yn frysiog ar hyd y coridor, ar draws y landin a diflannu, tra arhosai Tomos Wiliam fan honno'n edrych ar ei hôl. Wedi iddi fynd o'r golwg plygodd ei ben at y drws caeedig i wrando. Gwelodd fod llinell denau o olau i'w weld o dan y drws. Rhoddodd ei law yn ysgafn ar fwlyn y drws, ond cyn iddo ei droi fe glywodd sŵn—sŵn rhywun y tu mewn yn peswch. Rhaid ei bod hi yno felly, meddyliodd. Trodd fwlyn y drws yn ara bach. Disgwyliai iddo fod ynghlo, ond er syndod iddo, fe'i teimlodd yn agor. Yn wir, fe agorodd y drws mor hawdd nes y cafodd Tomos Wiliam ei hunan i mewn yn y stafell heb yn wybod iddo'i hun bron. Y peth cyntaf a welodd oedd lamp ynghyn ar fwrdd crwn yn ymyl y ffenest. Ac yno—yn eistedd wrth y bwrdd—fe welodd . . . nid Ruth . . . ond yr hen wrach o fenyw fwyaf hagr a welsai erioed. Yr oedd ei hwyneb yn greithiau ac yn dyllau i gyd, ac roedd un o'i llygaid bron ynghau tra oedd y llall yn llydan agored ac yn loyw fel petai'n llosgi yn ei phen. Gwelodd Tomos Wiliam y lliw coch afiach ar ei chroen, a sylwodd fod rhan o'i thrwyn fel petai wedi cael ei fwyta ymaith. Yr oedd hi'n ddychrynllyd i edrych arni, ac yn awr roedd hi wedi codi ar ei thraed ac roedd y llygad mawr, llosg yn sefydlog ar ei wyneb.

Y syniad cyntaf a ddaeth i ben Tomos Wiliam oedd dianc—nid yn unig o'r ystafell honno, ond o'r plas hefyd, mor bell ag y gallai fynd. Ond wrth edrych ar yr wyneb hagr hwnnw fe gofiodd yn sydyn am lythyr Mary O'Kelly. Roedd hwnnw'n sôn am hen ddynes â'i hwyneb yn greithiau i gyd—wedi gwella o'r frech wen. A gwyddai ar unwaith mai hon oedd y ddynes honno.

'Pwy wyt ti?' gofynnodd yr hen wrach. Roedd ei llais yn ddwfn ac aneglur fel petai'n dod trwy ei thrwyn.

Cyn i Tomos Wiliam gael amser i ateb gwelodd lenni'r gwely ym mhen pellaf yr ystafell yn cael eu tynnu'n ôl a phen gwyn yr hen Ruth yn dod i'r golwg. Edrychodd yn syn ar Tomos Wiliam. Agorodd ei cheg i ddweud rhywbeth ond caeodd hi drachefn. Yna trodd at yr hen ddynes hyll ac meddai, 'Rwy'n nabod hwn, Leisa.'

'Pwy yw e?' gofynnodd y wrach.

'Garddwr newydd y plas yw hwn—yn lle Watcyn.'

'Beth yw 'i fusnes e 'ma?' Roedd y ddynes yn ddrwg-dybus iawn.

'Wel?' meddai Ruth, ac roedd ei llais bron mor sarrug ag un y llall. 'Wyt ti wedi colli dy dafod neu beth? Wyt ti wedi dod 'ma yn lle Sami neu nagwyt ti?'

Ni wyddai Tomos Wiliam beth ar y ddaear i'w wneud o hyn. Ond gwelodd Ruth yn wincio arno.

'Ydw,' meddai.

'Ydy Sami wedi meddwi heno 'to?' gofynnodd Ruth.

'Ydy,' meddai Tomos Wiliam wedyn—wedi deall erbyn hyn fod Ruth yn ceisio rhoi geiriau yn 'i geg e.

'Ach!' meddai Leisa. 'Mae hwnna'n feddw bob nos—y mochyn!'

'Fe sy'n arfer dod i edrych ar fy ôl i tra bydd Leisa'n mynd lawr i gael 'i swper,' meddai Ruth. 'Ond mae'n debyg fod Mr Mansel wedi'ch hala chi heno gan fod Sami'n feddw . . . ?'

Deallodd Tomos Wiliam y cyfan o'r diwedd a synnodd at glyfrwch yr hen Ruth.

'Do,' meddai gan droi at y wrach. 'Gwell i chi fynd, dwy i ddim am aros fan yma drwy'r nos.'

'Hy! Does dim gwahaniaeth 'mod i'n gorfod bod 'ma drwy'r dydd a'r nos . . .' Ond wrth ddweud roedd hi'n mynd am y drws.

Yn y drws arhosodd a throi'n ôl. 'Paid â thynnu dy lygad oddi arni, cofia, mae hi'n gyfrwys iawn.'

'Fe ofala i amdani,' meddai Tomos Wiliam.

Yna roedd y drws wedi cau a'r hen wrach wedi diflannu. Gwrandawodd ar ei thraed trwm, afrosgo, yn mynd i lawr y coridor, yna trodd at Ruth.

'Pam maen nhw'n eich cadw chi'n garcharor fan hyn?' gofynnodd.

'Am fod John Mansel wedi'n gweld ni'n siarad â'n gilydd y dydd o'r bla'n. Mae e wedi cymryd yn 'i ben fod rhyw gyfrinach rhyngoch chi a fi—ac mae e'n iawn wrth gwrs. Mae e yn eich ame chi er pan ddaethoch chi 'ma. Mae e'n dweud fod 'na rywbeth yn eich cylch chi sy'n ei atgoffa o rywun . . . dyw e ddim yn siŵr pwy.'

'Mae'n syndod wedyn 'te, na fuase fe wedi cydio yno' i a cheisio . . .'

'Dyw e ddim am i chi wybod ei fod e'n eich ame chi,

90

Tomos Wiliam, gan 'i fod e'n gobeithio y byddwch chi yn 'i arwain e at rywbeth.'

'Rwy'n mynd o 'ma,' meddai Tomos Wiliam, 'ond down i ddim am fynd cyn eich gweld chi . . . i ofyn a oeddech chi am i fi wneud rhywbeth . . .'

'Yr ewyllys! Ewch chi â hi?' Daeth yr hen wraig allan o'r gwely lle'r oedd hi wedi bod yn gorwedd yn ei dillad—yr hen sgert ddu a'r flows sidan ddu.

'Af, os mai dyna'ch dymuniad chi. Fe af fi â hi i'r rhai sy'n edrych ar ôl y bychan—fy chwaer Catrin a'i gŵr.'

'Ie, dyna yw 'nymuniad i.' Croesodd yr hen wraig yr ystafell yn frysiog ac aeth at gwpwrdd bach yn y gornel. Tynnodd allan o hwnnw siswrn gloyw. Cododd waelod ei sgert fawr, ddu a oedd yn ymestyn hyd ei thraed. Ac i un o blygion yr hen sgert gwthiodd flaen y siswrn. Clywodd Tomos Wiliam y brethyn yn rhwygo.

'Fan hyn mae'r ewyllys wedi bod er pan fu Miss Mary farw,' meddai. 'Efallai nad fan yma oedd y lle gorau yn y byd i' chwato hi . . . ond dŷn nhw ddim wedi 'i chael hi. Dyw e, John Mansel, ddim yn siŵr a wnaeth yr hen Syr ei ewyllys cyn marw ai peidio. Ond mae e'n ofni fod yna ewyllys yn rhywle. Efalle 'i fod e wedi cael rhyw si fod yna un, ac mae e'n gynddeiriog eisie gwybod yn iawn. Dyna pam mae e'n 'y nghadw i fan hyn yn garcharor. Mae e'n credu, os yw'r ewyllys yn rhywle, 'mod i'n gwybod ble mae.'

Yna, o blygion yr hen sgert tynnodd allan y darn papur hollbwysig. Roedd e mewn amlen a sêl arni.

'Dyma ni, Tomos Wiliam—dyma fi'n rhoi 'i gofal hi i chi nawr. Rwy i wedi 'i chadw hi'n ddiogel, a gobeithio y gwnewch chithe'r un peth nes bydd y dihirod 'ma wedi ca'l 'u herlid o Ddôl-y-brain gan y gyfreth. O, fe garwn i fyw i weld y dydd pan fydd y 'tifedd bach yn dod adre!'

'Fe ofala i am yr ewyllys tra bydd anadl yn 'y nghorff i,' meddai Tomos Wiliam gan gymryd yr amlen o'i dwylo a'i rhoi ym mhoced ei frest.

'Rhaid i mi fynd ar unwaith.'

'Rhaid. Cofiwch, mae dyfodol yr hen le yma a dyfodol yr etifedd yn eich gofal chi nawr. Dim ond chi a'r darn papur yn yr amlen 'na sy rhwng John a Harold Mansel a stad Dôl-y-brain. Gobeithio y bydd Duw'n gofalu amdanoch chi ac yn rhoi nerth i chi . . .'

Stopiodd yr hen wraig yn sydyn a gwrando. Ac yn y distawrwydd clywodd y ddau sŵn traed trymion yn agosáu at y drws.

'Sami!' meddai'r hen wraig mewn dychryn. 'Sami!' Deallodd Tomos Wiliam ar unwaith. Roedd y dyn yma wedi dod i ofalu am Ruth tra byddai'r wraig hyll yn cael ei swper. Nid oedd eiliad i'w cholli. Neidiodd yn gyflym ar draws y stafell a sefyll y tu ôl i'r drws. Clywodd y traed yn stopio y tu allan, a gwelodd fwlyn gloyw'r drws yn cael ei droi. Yna gwelodd ef yn agor.

'Wel, madam Ruth . . . a sut mae hwyl madam heno? M?' Roedd y llais yn dew a gwawdlyd, ond yn sydyn newidiodd.

'Ble mae Leisa . . .?' dechreuodd. Gwyddai Tomos Wiliam fod rhaid iddo symud ar unwaith. Neidiodd o'i guddfan y tu ôl i'r drws gan roi hergwd i Sami yn ei gefn nes ei fod e draw yn ymyl y gwely.

92

'Hei!' gwaeddodd hwnnw mewn syndod. Ond erbyn hynny roedd Tomos Wiliam wedi mynd allan drwy'r drws, ac yn awr roedd e'n rhedeg nerth ei draed i lawr ar hyd y coridor am y landin. Clywodd weiddi mawr y tu ôl iddo. 'Hei, dere'n ôl y cythraul!' Ar y landin, o dan y golau, safodd Tomos Wiliam am foment yn petruso. Pa ffordd yr âi? Yn ôl ar hyd y coridor tywyll tuag at ran y gweision a'r morynion o'r adeilad? Neu i lawr ar hyd y grisiau mawr i ran y bobl fonheddig o'r plas? Meddyliodd mai'r grisiau fyddai orau gan y byddai'n fwy tebyg o gael drws i ddianc os âi y ffordd honno. Yr oedd hi'n llai o ffordd hefyd. Yng nghefn ei feddwl roedd e'n cofio ei fod wedi clywed y cloc yn taro wrth ddod i fyny—wyth o'r gloch oedd hi bryd hynny. Doedd hi ddim mwy na rhyw ddeng munud wedi wyth yn awr felly, a mwy na thebyg fod y gwŷr bonheddig wrth eu swper o hyd, neu o leiaf yn yfed eu gwin wrth y bwrdd. Aeth i lawr y grisiau dair ar y tro. Daeth at landin arall debyg i'r un roedd e newydd ei gadael, ac o'r fan honno gallai weld y llawr a'r neuadd, ac yn bwysicach na dim, y drws mawr. Rhedodd i lawr dros y gweddill o'r grisiau a mynd am y drws. Yr oedd Sami'n bloeddio yn awr ar y landin uchaf fel creadur wedi gwallgofi. Cyn iddo gyrraedd y drws clywodd sŵn cyffro cadeiriau a thraed yn dod o ystafell ar y dde iddo a gwyddai fod John Mansel a'i ffrindiau wedi clywed y sŵn o'r llofft. Cydiodd ym mwlyn mawr y drws a'i droi. Roedd e heb ei gloi—ond O!—mor araf yr oedd e'n agor. Edrychodd dros ei ysgwydd. Gwelai Sami'n hanner rhedeg hanner cwympo i lawr y grisiau olaf. Ond yn nes ato na hwnnw

gwelodd John Mansel a dau o ddynion nad oedd ef
wedi eu gweld o'r blaen. Gwelodd law John Mansel yn
mynd yn sydyn o dan ei got. Yr oedd y drws mawr yn
gilagored yn awr. Gwelodd bistol yn llaw John Mansel.
Gwthiodd ei gorff trwy gil y drws, a'r eiliad honno
clywodd sŵn y fwled o bistol y gŵr bonheddig yn taro
pren trwchus y drws. Yna roedd e allan yn yr awyr
agored, a theimlai'n ddiolchgar am y tywyllwch o'i
gwmpas. Dechreuodd redeg wedyn—i lawr y lôn—yn
gynt nag y rhedodd erioed o'r blaen yn ei fywyd.

Ac o'r tu ôl iddo roedd y pandemoniwm rhyfeddaf—
sŵn gweiddi, sŵn cŵn yn cyfarth a sŵn traed yn
rhedeg.

Pennod 8

Yn y cyfamser roedd pethau wedi bod yn digwydd yn
sir Benfro. Un noson eisteddai ceidwad newydd toll-
borth Pont-y-glyn yng nghegin y bwthyn bach ar fin y
ffordd. Yr oedd hi bron yn un ar ddeg o'r gloch. Am un
ar ddeg byddai'r Mêl yn mynd trwodd am Abergwaun.
Yna byddai ef yn gallu mynd i'r gwely gan obeithio na
ddeuai'r un cerbyd yn ystod y nos i wneud iddo godi i
agor y glwyd; oherwydd roedd hi'n noson oer iawn, ac
roedd haen o rew ar ffenestri'r bwthyn yn barod.

Yn sydyn cododd ei ben i wrando. Roedd hi'n noson
dawel, olau leuad, ac yn awr clywodd Daniel Huws, y
ceidwad newydd, sŵn carnau ceffyl yn dod i fyny'r

ffordd o gyfeiriad y bont. Taflodd lygad ar y lantarn a oedd ynghyn ar y bwrdd. Clywodd y ceffyl yn dod at y glwyd ac yn stopio.

'*Gate!*' gwaeddodd llais o'r tu allan. Cododd ar unwaith, cydio yn ei lantarn, ac allan ag ef. Yn y golau leuad gallai weld cysgod du o farchog a cheffyl yn sefyll wrth y glwyd.

'Tomos Wiliam?' gwaeddodd y marchog.

'Nage, syr—Daniel Huws sy'n edrych ar ôl y glwyd nawr. Mae Tomos Wiliam wedi mynd . . .'

'Mynd i ble?' Roedd llais y marchog yn uwch yn awr.

Cododd Daniel Huws ei lantarn i edrych arno. Gŵr ifanc, golygus ydoedd, a chlogyn du wedi ei lapio am ei ysgwyddau.

'Y . . . dwy i ddim yn siŵr ble ddwedodd e roedd e'n mynd . . . fe ddwedodd rywbeth am ryw ffarm draw ar ochor y mynydd . . . arhoswch chi nawr . . . beth ddwedodd e hefyd . . . ie . . . rwy'n siŵr bron mai'r Hafod ddwedodd e. Rwy'n meddwl fod 'i chwaer . . .'

'Pam y gadawodd e'r lle 'ma 'te?'

'Wn i ddim, wedi cael digon ar y gwaith hwyrach. Dyw cadw tollborth ddim yn waith wrth fodd pawb, cofiwch. Pan ofynnes i iddo pam roedd e'n gadel, fe ddwedodd 'i fod e am fyw bywyd mwy tawel . . . dyna ddwedodd e.'

'Bywyd mwy tawel iefe? Oeddech chi yma pan aeth e?'

'Oeddwn. Ond dyn dierth oedd Tomos Wiliam i fi. Fuodd dim fawr iawn o siarad rhyngon ni o gwbwl.'

'Pwy oedd gydag e pan aeth e o 'ma?'

'Dim ond 'i ferch, Gwen. Geneth neis iawn.'

'Doedd dim plentyn gyda nhw?'

'Plentyn, syr? Na, welais i ddim plentyn.'

Dywedodd y marchog rywbeth dan ei anadl.

'Ie, syr?' meddai Daniel Huws.

'Dim, dim. Y . . . yr Hafod 'ma. Oes gennych chi syniad ymhle mae e?'

'Wel syr, ar ochor y mynydd ddwedodd e. A'r mynydd agosa atom ni fan hyn yw'r Frenni Fowr. Fe allech weld y Frenni Fowr o fan yma'n rhwydd yn y dydd. Mae e i'r gorllewin o fan yma. Ond cofiwch, os nad ŷch chi'n gyfarwydd â sir Benfro, rhaid i fi eich rhybuddio chi fod yma lawer o fynyddoedd—mynyddoedd Preseli—falle eich bod chi wedi clywed amdanyn nhw?'

'Do, wrth gwrs. Rhaid i fi droi'n ôl felly?'

'Yn eich ôl a thros y bont, syr . . . i'r dde ar y groesffordd a dilyn ymlaen ac fe ddowch at droed y Frenni Fowr ymhen tipyn. Ond fuswn i ddim yn eich cynghori chi i fynd i edrych am y lle 'ma—yr Hafod—heno. Er bod golau leuad, rwy'n meddwl mai aros yn y gwesty yn y pentre tan y bore fyddai ore i chi. Mae'n hawdd iawn colli'r ffordd ar yr hen fynydde 'na.'

Cyn i'r marchog gael amser i ateb torrodd sŵn corn y Goets ar eu clyw, a chyn pen winc roedd y cerbyd yn dod yn gyflym tuag atynt â'i lampau mawr yn wincio. Brysiodd Daniel i agor y glwyd, oherwydd gwyddai na thalai hi ddim i gadw'r Goets i aros. Pan edrychodd e wedyn, gwelodd fod y marchog wedi cychwyn i lawr y ffordd.

Aeth y cerbyd trwm trwodd gyda chlindarddach

olwynion a charnau ceffylau. Gwelodd Daniel y gyrrwr yn codi ei chwip arno wrth fynd heibio, yna aeth yn ôl i'r tŷ ac i'r gwely.

*   *   *

Yn ystod y nos honno disgynnodd haenen ysgafn o eira ar fynyddoedd Preseli, a phan gododd Gwen o'i gwely cynnes yn yr Hafod fore trannoeth, gwelodd fod y Frenni Fawr yn wyn ac yn dawel yn ei 'ŵn nos' newydd.

Aeth i lawr y grisiau'n frysiog. Roedd ei Hewyrth Ifan o dan annwyd trwm, a'r noson gynt roedd Gwen wedi addo iddo y byddai hi'n mynd i edrych y defaid drosto drannoeth. Yn awr, a'r haenen eira oer ar y Frenni, fe wyddai y byddai eisiau mwy o ofal ar y defaid.

Wrth fynd i lawr dros y grisiau deuai arogl hyfryd bacwn yn ffrio i'w ffroenau. Roedd Modryb Catrin, fel arfer, wedi codi o'i blaen! Roedd Gwen wedi treulio amser hapus iawn gyda'i modryb a'i hewyrth a'r plentyn, ond byddai'n meddwl yn aml sut oedd ei thad, a phle'r oedd. Ac roedd Ifan a'r hen Gatrin Puw yn hapusach y dyddiau hynny nag y buont erioed. Roedd Gwen yn gwmni ac yn help iddynt, a'r plentyn yn werth y byd i ŵr a gwraig oedd wedi colli eu baban eu hunain.

'Gwen,' meddai ei modryb, 'godaist ti o'r diwedd?'

'Do. Roeddwn i wedi meddwl codi o'ch bla'n chi heddi.'

Chwarddodd Catrin. 'Fe fydd rhaid i ti ddod o'r wâl yn go fore, 'merch i, os wyt ti am godi o fla'n dy Fodryb Catrin.'

'Mae wedi bwrw eira, Modryb Catrin.'

'Ydy mae. Ac mae dy ewyrth wedi bod yn peswch yn ystod y nos. Rown i wedi rhoi mêl a gwin eirin iddo fe cyn iddo fynd i'r gwely, ond fe ddihunodd yn y nos a dechre peswch . . .'

Sylweddolodd Gwen nad oedd ei modryb wedi cael llawer o gwsg y noson cynt. Ac eto roedd hi wedi codi o flaen pawb, fel arfer. Dyna sut ddynes oedd ei modryb, meddyliodd—dynes yn cymryd y baich i gyd ar ei hysgwyddau ei hunan, heb rwgnach na gwneud dim ffys. Un benderfynol oedd hi hefyd. Ni hidiai beth ddywedai neb unwaith y byddai wedi gwneud penderfyniad. Roedd y bywyd caled ar y fferm fynyddig ar lethrau'r Frenni Fawr wedi gwneud iddi heneiddio ynghynt na phryd, ond nid oedd wedi lladd ei hysbryd serch hynny, yn wir roedd wedi ei gwneud yn fwy gwydn os rhywbeth.

'Roeddet ti wedi addo mynd i edrych y defaid,' meddai wrth Gwen ar ôl i honno eistedd wrth y bwrdd i fwyta'i brecwast.

'Oeddwn; mi fydda i'n mynd nawr.'

'Ond mae'n oer 'y ngeneth i, ac mae'r eira ar lawr.'

'O, does 'na fawr o eira. Ac fe fydd yr eira'n help efalle, waeth fe fydd y defaid wedi dod lawr i'r gwaelod.'

'Mae hynny'n ddigon gwir. Fuswn i ddim yn synnu pe bydden nhw i gyd lawr yn y Ddôl Isa, ac efalle o gwmpas yr ydlan ffor'na yn cysgodi.'

'Gobeithio beth bynnag. Os ydyn nhw wedi dod lawr, fydda i ddim yn hir.'

'Cofia wisgo digon amdanat beth bynnag. Mae hi'n fore oer iawn, a charwn i ddim cael dau ynghanol yr annwyd yn y tŷ 'ma.'

Ar ôl gorffen ei brecwast gwisgodd Gwen ei chot las, gynnes, ac ar ei phen gapan gwyn, crwn wedi ei weu o wlân defaid yr Hafod, a gawsai gan ei modryb yn anrheg pen blwydd.

Cymerodd ffon fugail ei hewythr o'r gornel.

'Rwy'n mynd 'te, Modryb Catrin.'

Edrychodd ei modryb arni o'i chorun i'w sawdl am ysbaid hir.

'Rwyt ti'n ddel, 'y ngeneth i,' meddai. 'Os byddi di 'ma'n hir fe ga' i dipyn o drwbwl i gadw'r bechgyn ifenc draw, rwy'n meddwl!'

'Modryb Catrin!' meddai Gwen, gan wrido a gwenu arni yr un pryd.

'Gawn ni weld. Ond gwell i ti fynd nawr. A gofala na fyddi di'n mentro'n rhy bell o'r tŷ, rhag ofn i rywbeth ddigwydd i ti.'

Aeth Gwen allan drwy'r drws a'i dynnu ar ei hôl. Teimlodd yr oerfel yn finiog ar groen ei hwyneb. Roedd ei hanadl fel cymylau bychain o fwg yn yr awyr denau. Safodd am eiliad i wrando am sŵn brefu, a fyddai'n dangos iddi ble'r oedd y defaid. Ond roedd y distawrwydd fel blanced dros bob man. Roedd hyd yn oed y nant fach a redai heibio i dalcen yr ydlan wedi distewi—am fod rhew y noson gynt wedi rhoi taw arni.

Yna torrodd bref un o'r defaid ar ei chlyw—mor sydyn ac mor agos nes bron codi dychryn arni. Yr oedd y sŵn wedi dod o'r tu draw i'r ydlan. Aeth i'r cyfeiriad hwnnw. Ond cyn iddi gyrraedd yr ydlan clywodd sŵn arall a wnaeth iddi aros yn stond. Sŵn ceffyl yn gweryru'n isel. Beth oedd yr hen Robin—unig geffyl ei hewyrth—yn ei wneud yn yr ydlan? Aeth yn ei blaen wedyn. Llamodd ei chalon i dwll ei gwddf pan welodd geffyl du, diethr, yn sefyll dan do'r sièd wair, â'i ben i fyny, yn edrych arni. O ble'r oedd y creadur yma wedi dod? Roedd hi ar fin troi'n ôl am y tŷ i ddweud wrth ei modryb pan welodd rywbeth arall, sef rhyw hwdwg du yn gorwedd yn y gwair. Edrychai fel pentwr o hen ddillad duon. Gweryrodd y ceffyl eto—yn uwch ac yn fwy ofnus y tro hwn. Ar unwaith gwelodd Gwen gyffro o dan y pentwr dillad a'r eiliad nesaf safodd dyn ar ei draed ynghanol y gwair. Yr oedd ei wallt du, cyrliog yn anhrefnus a'i wyneb yn llwyd fel y galchen gan yr oerfel. Sylwodd Gwen fod y dyn yn crynu fel deilen. Oni bai iddi sylwi ar hynny, byddai wedi mynd nerth ei thraed am y tŷ.

'Beth ŷch chi'n 'i wneud fan hyn?' gofynnodd.

Daeth y dyn dierth allan o'r gwair gan gerdded yn anystwyth fel hen ŵr. Wrth ddod taflodd ei glogyn du dros ei ysgwyddau. A'r eiliad honno fe wyddai Gwen pwy ydoedd! Cofiodd ei weld ar aelwyd y tolldy bach gerllaw Pont-y-glyn ar noson stormus wythnosau ynghynt. Dyma'r gŵr ifanc oedd wedi gadael y baban . . . dyma'r Gwyddel na wyddai neb p'un ai byw neu farw ydoedd! Roedd e wedi dod 'nôl!

'Mae'n debyg . . .' roedd ei lais yn gras gan annwyd. 'Mae'n debyg 'mod i wedi dod o hyd i'r Hafod o'r diwedd?'

'Mae ynte wedi fy nabod inne,' meddyliodd Gwen. Yn uchel dywedodd, 'Ydych, rŷch chi wedi cyrraedd yr Hafod. Roedd pawb yn meddwl eich bod chi wedi diflannu am byth.'

'Y plentyn—Arthur—ble mae e?'

'Mae e yma gyda ni yn yr Hafod.'

'Ydy e'n ddiogel?'

'Ydy.'

'O! diolch i Dduw! Ac i chwithe a'ch tad hefyd, Miss.'

'Rhaid i chi ddod mewn i'r tŷ ar unwaith, rŷch chi'n edrych bron rhewi.'

'Mae hynna'n wir, Miss.'

'Gwen yw'n enw i—dyna fydd pawb yn fy ngalw i.'

Fe geisiodd y Gwyddel ifanc wenu ond roedd ei wyneb yn stiff gan yr oerfel ac ni lwyddodd i wneud dim ond dangos ei ddannedd gwynion.

'O'r gore, gadewch i ni fynd i'r tŷ, Gwen. Mi fydda i'n falch o weld tân unwaith eto. Ond—y—mae'r ceffyl 'ma . . . ydych chi'n meddwl y galla i 'i roi fe mewn . . . ?'

'Mae lle iddo yn y stabal gyda'r hen Robin; mae yno ddwy stâl.'

'O'r gore, gadewch i ni fynd, Gwen.'

Cydiodd ym mhen y ceffyl du, mawr ac arweiniodd Gwen y ffordd tua'r tŷ. Roedd hi wedi anghofio'r cyfan am y defaid! Ar ôl dangos i'r Gwyddel ble'r oedd y stabal, rhedodd Gwen i'r tŷ i ddweud wrth ei modryb pwy oedd wedi cyrraedd.

'Caton pawb!' meddai honno pan glywodd. 'O ble mae'r creadur wedi dod? A sut daeth e o hyd i'r lle 'ma?'

Ysgydwodd Gwen ei phen. 'Fe gawn ni wybod pan ddaw e mewn . . .' Torrodd yr hen Gatrin ar ei thraws.

'A beth sy'n mynd i ddigwydd nawr—i'r hogyn bach? Fydd e'n mynd ag e, dwed?'

'Wn i ddim.' Nid oedd Gwen wedi meddwl am hynny.

'Fe fydd Ifan yn torri'i galon os bydd e'n gorfod madel â'r plentyn, Gwen. Rwyt ti'n gwbod yn iawn fel mae e wedi serchu ynddo fe.'

'Ond Modryb fach, roedden ni'n gwbod na allen ni ddim 'i gadw fe! Fe yw 'tifedd Dôl-y-brain . . .'

'Hy! Fe fydde'n well lawer arno fe pe bai e'n aros gyda ni 'ma. Dim ond gofid mae e a'i fam wedi'i weld wrth fod yn etifeddion Dôl-y-brain. Nid cyfoeth yw'r cwbwl o bell ffordd, Gwen, coelia di fì.'

Yna clywsant sŵn traed y Gwyddel yn dod at y drws. Aeth Gwen i'w agor iddo.

Daeth y gŵr ifanc â'r clogyn du i mewn i'r tŷ a'r oerfel gydag ef.

'Dewch at y tân ar unwaith,' meddai Catrin, ar ôl gweld yr olwg welw ar ei wyneb.

'Diolch,' meddai yntau, gan frysio at y tân. Wedi cyrraedd yno eisteddodd ar y sgiw ac estynnodd ei ddwylo dideimlad at y fflamau. Gwelodd Catrin a Gwen ei fod yn crynu fel deilen.

'Rwy'n ofni, Gwen, y bydd gyda ni un arall yn yr annwyd yn y tŷ 'ma cyn bore fory—os nad rhywbeth gwaeth nag annwyd hefyd!'

Cydiodd Gwen yn y tebot mawr o'r pentan ac arllwysodd fasnaid o de poeth iddo.

'D—d—diolch i chi,' meddai'r Gwyddel. Ar ôl cymryd dracht hir o'r basn, fe drodd at y ddwy.

'Roeddwn i wedi meddwl cyrraedd yma neithiwr. Roedd ceidwad newydd y tollborth wedi dweud eich bod chi a'ch tad wedi mynd i ryw Hafod . . . ond fe gollais y ffordd ar y mynydd. Pan ddaeth yr eira roedd pobman yn edrych yr un fath. Yn orie mân y bore roeddwn i a'r ceffyl yn crwydro o gwmpas heb unrhyw syniad ble'r oedden ni. Ond yn sydyn fe weles i olau gwan yn y pellter . . . fe ddaeth i'r golwg yn sydyn . . . ac fe droes i ben y ceffyl tuag ato ar unwaith . . . erbyn hyn rwy'n gwbod mai gole yn ffenest llofft y lle 'ma oedd e . . .'

'Fe gynnais i'r lamp pan ddechreuodd Ifan beswch,' meddai Catrin.

'Ifan?'

'Ie, Ifan 'y ngŵr, mae e yn yr annwyd.'

Daeth hanner gwên dros wyneb y Gwyddel. 'Diolch yn fawr iddo am beswch, ddweda i. Rwy'n meddwl y buswn i a'r ceffyl wedi marw ar y mynydd oni bai i ni weld y gole. Pan gyrhaeddon ni 'ma, wel, roedd y sièd wair yn rhoi tipyn o gysgod i ni. Ond roedd hi'n fileinig o oer, hyd yn oed fan'ny.'

Yfodd ragor o'r te poeth. Roedd yr hen Gatrin yn gwrando'n astud ac yn ei wylio fel barcud.

'Ydych chi wedi dod i mofyn yr hogyn bach?' gofynnodd.

Edrychodd y Gwyddel arni.

'Wel . . .' meddai; yna stopiodd. 'Ŷch chi'n gweld . . .' A stopio wedyn.

'Rydyn ni wedi agor y waled,' meddai Catrin.

'O? Rŷch chi'n gwbod pwy yw e felly?'

'Ydyn,' meddai Catrin.

'Wel, rwy i wedi dod 'nôl i weld a oes modd erlid John Mansel a'i fab o Ddôl-y-brain, waeth Arthur—fel y gwyddoch chi, yw'r etifedd.'

'Ie, druan bach,' meddai Catrin.

Edrychodd y Gwyddel yn syn arni.

'Druan bach? Ond mae Dôl-y-brain yn un o stadau mawr sir Gaerfyrddin . . .'

'Ydy mae, gwaetha'r modd. Dyna pam mae'r hogyn bach yn cael 'i erlid a'i hela gan y dyn Mansel 'na.'

Bu distawrwydd rhyngddynt am funud.

'Roedd 'nhad a finne'n ofni eich bod chi wedi boddi neu rywbeth pan na ddaethoch chi'n ôl i mofyn Arthur,' meddai Gwen, yn bennaf er rhoi taw ar ei modryb.

'O ie. Wel fe lwyddes i i groesi'r afon yn iawn ar waetha'r llif. Roedd hi'n ddrwg gen i orfod eich gadel chi a'ch tad i ofalu am Arthur. Fe fûm yn meddwl yn hir lawr yn yr hen feudy yna ar lan yr afon. Ac o'r diwedd fe benderfynes fod y plentyn yn fwy diogel gyda chi a'ch tad. Os oeddwn i'n mynd i' gadw fe doedd gen i ddim siawns—nac ynte chwaith. Ond wrth 'i adael e gyda'ch tad a chithe, Gwen, fe lwyddes i groesi'n saff i Iwerddon. Gyda llaw mae'r ymladd wedi dod i ben yno

—dros dro beth bynnag; ond fe fydd yn siŵr o ddechre eto. Am y tro mae'r Saeson wedi ennill ac maen nhw wedi gwneud telere—pawb wedi cael maddeuant am fentro ymladd â nhw! Gyda llaw, ble mae eich tad, Gwen?'

'Mae e wedi mynd i sir Gaerfyrddin i edrych am waith yn y pylle glo, falle. Dŷn ni ddim wedi clywed oddi wrtho er pan aeth e.'

'Gobeithio nad fi sy wedi bod yn achos iddo adel y tollborth?'

'Wel, doedd 'nhad ddim yn hoffi'r gwaith beth bynnag. Doedd e erioed wedi bod yn hapus yn cadw'r tollborth.' Ni ddywedodd Gwen wrtho am y dyn oedd wedi torri i'r tŷ ac ymosod arni hi a thorri'r dodrefn.

'Beth sy'n mynd i ddigwydd nawr?' Roedd Catrin wedi dod yn ôl at ei phwynt unwaith eto. Ysgydwodd y Gwyddel ei ben cyrliog. Mor gyrliog â phen Arthur, meddyliodd Gwen. Yna sylwodd am y tro cyntaf mor debyg i'w gilydd oedd y Gwyddel ifanc a'r plentyn. Ond doedd hynny ddim yn syndod o gwbwl, meddyliodd, waeth roedd y Gwyddel yn ewyrth i'r bychan.

'Rhaid i ni—rywsut neu'i gilydd—gael John Mansel a'i ddynion allan o'r plas. Does ganddyn nhw ddim hawl i fod yno—dim hawl o gwbwl.'

'Mae'r llythyr yn y waled yn sôn am ewyllys,' meddai Catrin. 'Wyddoch chi rywbeth am honno?'

'Fe ddwedodd Ruth, hen nyrs fy chwaer yng nghyfraith, fod yr hen Syr wedi gadael y cyfan i Arthur yn y diwedd. Ond welais i ddim mo'r ewyllys â'm llygaid fy hunan.'

'Mae'r hogyn bach yn hapus iawn 'ma,' meddai Catrin. 'Ac mae pawb yn meddwl y byd ohono. Fe fydde'n llawer gwell iddo aros gyda ni . . .'

'Modryb Catrin!' meddai Gwen. 'Dŷch chi ddim yn deall . . .'

'O nadw i wir! Ydw, yn deall yn iawn. Nhw â'u hen arian a'u plase mowr! Does gan Ifan a finne ddim arian na phlas chwaith ond rŷn ni wedi bod yn hapus dros ben trwy'n hoes, ac rŷn ni'n gallu cysgu yn ein gwelye'r nos heb ofni bod rhywun am ein lladd ni!'

'Does gynnon ni ddim hawl 'i gadw fe, Modryb Catrin,' meddai Gwen, gan godi ei llais. 'Fe hoffwn i 'i gadw fe yn fwy na neb. Ata i daeth e gynta, a gyda fi mae e'n cysgu. Fe dorra i 'nghalon pan fydd e'n mynd; ond does gen i ddim hawl—na chithe, Modryb Catrin—i benderfynu drosto fe a ydy e'n mynd i fod yn etifedd Dôl-y-brain ai peidio. Mae e wedi'i eni yn ŵyr i Syr Henri Rhydderch, a'n busnes ni yw gwneud ein gore i weld 'i fod e'n cael 'i hawlie.'

Edrychodd yr hen Gatrin yn syn arni. Nid oedd erioed wedi clywed Gwen yn codi ei llais fel yna o'r blaen. Edrychodd y gŵr ifanc arni hefyd, a meddyliodd mor dlws oedd hi â'r gwrid ar ei boch a'i llygaid yn fflachio fel yna.

'Rwy'n cytuno'n hollol,' meddai. 'Dyna fyddai dymuniad ei fam a'i dad-cu, rwy'n berffaith siŵr o hynny. Ac rwy i wedi addo i Ruth y bydda i'n gneud 'y ngore i'w amddiffyn e a'i gadw fe . . .'

'Trwy ddianc dros y môr i Iwerddon,' meddai Catrin.

Tro'r gŵr ifanc oedd hi i wrido yn awr.

'Y . . . doedd dim byd arall i'w wneud ar y pryd,' meddai'n dawel.

Edrychodd yr hen Gatrin yn fwy tyner arno.

'Nagoedd, 'machgen i. Rhaid i chi fadde i hen ddynes bigog fel fi. Ond rwy'n meddwl y gall Gwen 'ma ddweud wrthych chi fod y gair gwaetha yn flaena gen i fynycha. Ac wrth gwrs, chi'ch dau sy'n iawn. Er gwaeth neu er gwell mae Arthur wedi 'i eni yn etifedd Dôl-y-brain, a rhaid i ni wneud ein gore i weld 'i fod e'n etifeddu stad a chyfoeth 'i dad-cu. Oes gan un ohonoch chi syniad sut mae mynd o gwmpas pethe nawr?'

Ysgydwodd y Gwyddel ei ben.

'Wel,' meddai Gwen, 'mae cyfraith yn y wlad 'ma on'd oes e?'

Chwarddodd y Gwyddel yn chwerw.

'Yng Nghymru fel yn Iwerddon—nhw yw'r gyfraith!' meddai.

'Nhw?' meddai Gwen.

'Yma—John Mansel a'i ffrindie; yn Iwerddon—y Saeson.'

'Ond mae'r gyfraith yn fwy na John Mansel a'i ffrindie!' meddai Gwen. 'Fe allwn ni fynd i ofyn cyngor cyfreithiwr . . .'

Ysgydwodd y Gwyddel ei ben eto.

'Na, rwy'n ofni y byddai unrhyw gyfreithiwr yn mofyn cannoedd o bunnoedd am gymryd achos pobl dlawd fel ni yn erbyn y Gwŷr Mowr—os caen ni gyfreithiwr o gwbwl.'

'Ond mae'r ewyllys . . .' meddai Gwen.

107

'Ie, ond dyw honno ddim gynnon ni, Gwen. Ble mae hi? Gan yr hen Ruth? Os taw e, falle fod John Mansel wedi cael 'i ddwylo arni erbyn hyn, a'i llosgi.'

'Fe wn i am gyfreithiwr fuase'n fodlon ymladd ein hachos ni,' meddai Catrin yn sydyn.

'Modryb Catrin! Pwy?'

'Y gŵr ifanc 'na sy'n ymladd cymaint dros y tlodion tua Chaerfyrddin 'na—Hugh Williams. Rwy i wedi darllen amdano fe yn *Seren Cymru*. Mae e'n ymladd ar hyn o bryd i wneud i ffwrdd â'r tollbyrth am fod pobol yn rhy dlawd i dalu am fynd trwyddyn nhw. Ych a fi! A dweud y gwir wrthot ti, Gwen, roedd gas gen i feddwl fod gen i frawd yn casglu'r hen dollau 'na. A phle bynnag mae e nawr, mae'n well gen i 'i fod e man lle mae e nag yn cadw tollborth Pont-y-glyn.'

Pennod 9

Aeth wythnos heibio ar fferm unig yr Hafod, a chiliodd yr eira oddi ar lechweddau'r Frenni Fawr. Erbyn hyn roedd hi'n ddechrau Chwefror, a'r defaid yn bwrw eu hŵyn. Erbyn hyn hefyd yr oedd yr hen Ifan dywedwst wedi cael gwared o'i annwyd ac yn medru mynd ei hunan unwaith eto i ofalu amdanynt.

Ac un noson roedd e wedi dod adre ag un oen bach du a oedd wedi colli ei fam, a'i osod wrth y tân ar ddarn o hen flanced, ac roedd Catrin wedi rhoi potel iddo i'w sugno. Roedd yr oen yn rhyfeddod mawr i Arthur, a chyn pen dau ddiwrnod roedd y ddau yn chwarae gyda'i gilydd ar yr aelwyd ac yn cael hwyl fawr iawn. Roedd Patrick wedi bod yn y gwely am dridiau dan annwyd trwm ar ôl bod ar goll ar y mynydd, ond yn awr yr oedd yntau hefyd wedi cael gwared o'i anhwylder.

Yn ystod y dyddiau y bu ef yn y gwely, Gwen fyddai'n mynd â bwyd iddo gan amlaf, a byddai'n gofyn iddi eistedd yn ei ymyl tra byddai'n bwyta, oherwydd fe deimlai'n unig iawn yn ei ystafell ar y llofft yn y tŷ anghysbell hwnnw ar ochr y mynydd. A fynychaf hefyd byddai'r plentyn yn dod gyda Gwen, a byddai hwnnw'n cael mwynhad mawr wrth rowlio a thwmlo dros ei wely.

Fe synnai Patrick weld y newid yn y bychan. Roedd e wedi prifio'n rhyfedd yn ystod yr wythnosau y bu ef i ffwrdd yn Iwerddon. Yr oedd ei goesau bach wedi cryfhau ac fe fedrai gerdded yn llawer mwy hyderus na phan aeth ag ef ar gefn ei geffyl o Ddôl-y-brain. Roedd e'n siarad tipyn erbyn hyn hefyd ac roedd y geiriau 'Gŵ', 'Ia' a 'Cat', sef ei ffordd ef o ddweud enwau Gwen, Ifan a Catrin, ar ei wefusau drwy'r dydd. Weithiau hefyd—ynghanol ei chware—byddai'n stopio'n sydyn ac yn dweud 'Mam'. Bryd hynny byddai Gwen neu'r hen Gatrin yn ei godi yn ei breichiau ac yn ei faldodi.

Un prynhawn pan ofynnodd Patrick am weld y plentyn bu rhaid i Gwen druan fynd â'r oen bach du i fyny'r grisiau yn ei chôl hefyd, am fod y plentyn yn gwrthod mynd hebddo. Pan aeth hi i mewn i'r ystafell â'r oen ar un fraich a'r plentyn ar y llall gwelodd Patrick yn edrych yn syn arni. Edrychodd hithau i fyw ei lygaid yntau, ac am foment fe fu distawrwydd rhyngddynt. Chwaraeai gwên fach dyner o gwmpas gwefusau'r Gwyddel a heb yn wybod iddi ei hunan fe ddechreuodd Gwen wrido. Yna roedd yr oen yn gwingo yn ei chôl. Ond o'r foment honno dechreuodd Gwen a Patrick fod yn swil yng nghwmni ei gilydd.

*   *   *

Roedd hi'n nos Sadwrn, ac eisteddai Catrin, Ifan, Gwen a'r Gwyddel o gwmpas tân mawr ar aelwyd yr Hafod. Yr oedd yr amser wedi dod i wneud rhywbeth ynglŷn â Dôl-y-brain a'r dihirod oedd wedi cymryd meddiant ohono.

'Mynd lawr i Gaerfyrddin i weld y cyfreithiwr ifanc—y—Mr Hugh Williams yw'r peth gore—neu o leia'r peth cynta i ni ei wneud,' meddai Catrin.

Edrychai Ifan i lygad y tân. 'Ie, wel—os wyt ti'n dweud, Catrin,' meddai'n freuddwydiol ac yn bwyllog.

'Mae'n rhaid i fi ddweud, Mrs Puw . . .' meddai'r Gwyddel.

'Catrin!'

'O'r gore—Catrin. Mae'n rhaid i fi ddweud nad oes gen i ddim ffydd mewn cyfreithwyr. Os yw'r rhai sy yn y wlad 'ma'n debyg i'r rhai sy yn Iwerddon, maen nhw i gyd ar ochor y Gwŷr Mowr. Fe fuodd 'y mrawd gyda'r cyfreithwyr i geisio rhwystro'r Saeson rhag mynd â'i dir e. Ond fe gollodd y cwbwl.'

'Wel, 'te,' meddai Catrin yn bigog, 'beth yw'ch cyngor chi? M?'

'Ymladd! Dyna'r unig ffordd.'

'Ymladd! 'Y machgen glân i! Ydych chi'n meddwl y gallwch chi ymladd y gwŷr byddigion? Na fedrwch byth. Fe fyddwch chi yn y carchar cyn eich bod chi'n troi rownd. A pheth arall, pwy sy'n mynd i ymladd? Ni'n pedwar? O, na! Pe bydde Tomos 'y mrawd 'ma nawr i ddala pen rheswm â ni. Beth yn y byd roedd e'n feddwl wrth redeg bant fel'na, wn i ddim.'

'Mae'n syndod na fusen ni wedi clywed gair oddi wrtho fe hefyd, Catrin, erbyn hyn,' meddai'r Ifan breuddwydiol o gornel pella'r sgiw.

Edrychodd Catrin ar ei gŵr. 'Wyt ti'n fodlon ymladd â'r Gwŷr Mowr, Ifan?' meddai.

'M?' Trodd Ifan ei ben yn bwyllog i edrych arni. 'O, ddaw hi ddim i hynny gobeithio, Catrin fach,' atebodd.

Yna clywodd y pedwar sŵn traed yn galed ar y rhew y tu allan.

'Mae rhywun yn dod!' meddai Gwen, gan neidio ar ei thraed. Neidiodd y Gwyddel hefyd ar ei draed mewn fflach. Yna plygodd i gydio yn y pocer o waith gof oedd yn pwyso ar wal y pentan.

'Dduw Mawr!' meddai Catrin. 'Pwy all fod yna'r amser yma o'r nos? Does neb yn arfer dod mor hwyr.'

Daeth y traed yn nes.

'Modryb Catrin, rwy'n meddwl . . .' meddai Gwen.

'Sh!' meddai'r Gwyddel. 'Dim gair nawr!'

Clywsant glicied y drws yn cael ei chodi. Yna roedd

sŵn traed yn y cyntedd. Safodd y Gwyddel wrth ddrws y gegin a chododd y pocer mawr uwch ei ben.

'Na!' gwaeddodd Gwen. 'Nhad yw e!'

Edrychodd pawb yn syn arni. Yr eiliad nesaf cerddodd bwgan brain o ddyn i mewn i'r ystafell. Yr oedd golwg ryfedd iawn arno. Roedd gwaed wedi ceulo ar ei wyneb ac roedd ei ddillad yn rhubanau am ei gorff.

'Nid dy dad yw hwn!' gwaeddodd Catrin mewn dychryn.

'Ie, ie, Catrin fach,' meddai Tomos Wiliam (oherwydd dyna pwy oedd).

Mewn winc roedd Gwen a Chatrin wedi rhedeg ato.

'Nhad! Beth sy wedi digwydd i chi?'

'Ble mae dy farf di wedi mynd, Tomos? A beth yw'r picil 'ma sy arnat ti?' gofynnodd Catrin.

Yna gwelodd Tomos Wiliam y Gwyddel y tu ôl i'r drws â'r pocer yn ei law. Fe geisiodd wenu drwy'r llaid a'r gwaed a oedd ar ei wyneb. 'Wel! Wel! Rŷch chi wedi dod 'nôl yn fyw aton ni!'

Gwenodd Patrick arno. 'Rwy'n falch o'ch gweld chi, Tomos Wiliam. Os mai dyna pwy ŷch chi!'

'Tomos!' meddai Catrin yn ddifrifol. 'Wyt ti'n mynd i dweud wrthon ni be sy wedi digwydd neu nag wyt ti?'

'Pam daethoch chi'n ôl o'r gweithfeydd glo 'te, Nhad?' meddai Gwen.

'Fues i ddim yn agos i'r gweithfeydd,' oedd yr ateb.

'Ble buest ti 'te?' gofynnodd Catrin. 'Ond yn gynta dere i eistedd wrth y tân fan hyn. Rwyt ti'n edrych fel pe byddet ti ar fin cwmpo. Wyt ti'n gwbod fod Gwen wedi nabod sŵn dy droed di?'

Arweiniodd ei brawd at y sgiw yn ymyl y tân.

'Rwy i wedi bod yn Nôl-y-brain,' meddai Tomos Wiliam yn dawel.

'Brensiach annwl!' meddai Catrin, gan godi ei dwylo uwch ei phen.

'Ac rwy i wedi dod â hon, Catrin.' Rhoddodd Tomos Wiliam ei law fawlyd i mewn o dan ei got a thynnodd allan—yr ewyllys.

'Beth yw e?' gofynnodd ei chwaer.

'Ewyllys yr hen Syr. Gwen fach, rwy i wedi bod yn rhedeg, a chwato yn y drain a'r drysi oddi ar neithiwr, a dwy i ddim wedi cael dim i' fyta, na dim i' yfed chwaith ond dŵr . . .'

Yr oedd ei lais yn wan a gallai pawb weld ei fod ar fin llewygu.

Cydiodd Catrin yn yr ewyllys o'i law. 'Gwen, 'merch i, gwell i ti wneud pryd o fwyd iddo ar unwaith.'

Aeth Gwen allan i'r gegin fach. Yn awr daeth y Gwyddel a Chatrin at ei gilydd ar ganol y llawr. Agorodd Catrin y papur trwchus ac edrychodd y Gwyddel dros ei hysgwydd.

'Rwy i wedi 'i darllen hi, Catrin,' meddai Tomos Wiliam. 'Sawl gwaith. Fe dorres y sêl . . . roedd ofn arna i y bydden nhw yn 'y nala i a mynd â'r ewyllys . . . rown i am gael y cwbwl oedd arni ar 'y nghof os gallwn i. I'r hogyn bach mae'r cwbwl—mae e'n dweud yn glir fan'na.'

'Ble cest ti'r ewyllys 'te, Tomos?' gofynnodd ei chwaer.

'Roedd hi gan yr hen wraig yn y plas—Ruth. Hi roddodd hi i fi. Ac rwy i inne'n 'i rhoi hi i ti, Catrin.'

Siaradai Tomos Wiliam fel dyn meddw, ac yn wir fe deimlai'n benysgafn iawn.

Daeth Gwen â thipyn o fara a chaws iddo, a basnaid o laeth. Dechreuodd fwyta'n awchus, gan roi darnau mawr o'r bara yn ei geg ar y tro. Arhosodd y lleill nes oedd wedi llyncu tipyn o'r bwyd cyn holi rhagor ohono.

'Does dim byd mwy blasus na bara a chaws a basned o laeth ffres, oes e, Tomos?' meddai Ifan. 'Yn enwedig os byddwch chi wedi bod yn hir heb fwyd.'

'Maen nhw wedi bod yn chwilio amdana i oddi ar neithiwr. Rwy i wedi bod yn trafaelu trwy'r caeau a'r coed—fentrwn i ddim dilyn yr hewl . . .'

'Mae'n syndod i ti ffeindio dy ffordd,' meddai Catrin.

'Dilyn yr haul wnes i. Fe wyddwn i fod hwnnw'n machlud yn y gorllewin a bod y Frenni Fowr i'r gorllewin. Ond wedi i fi fynd rai milltiroedd fe weles yr hen Frenni o 'mla'n, Catrin. Rown i'n iawn wedyn. Ond yn ystod y nos neithiwr fe fues i'n crwydro heb un syniad ble'r own i'n mynd . . . digwydd mynd i'r cyfeiriad iawn wnes i gwlei, os nad oedd rhyw reddf yn fy arwain i.'

Yna dywedodd wrthynt fel yr oedd e wedi mynd i stafell yr hen wraig, wedi cael yr ewyllys ac wedi dianc. Roedd Gwen a Catrin yn llygaid ac yn glustiau i gyd pan adroddodd am John Mansel yn tanio'i bistol a'r ergyd yn taro'r drws.

'Wel, Tomos bach,' meddai Catrin, 'wyddwn i ddim

fod gen i frawd mor gyfrwys—ac mor ddewr. Roeddwn i wedi arfer meddwl amdanat ti . . .' Stopiodd ar hanner y frawddeg, pan welodd lygaid ei brawd yn dechrau cau.

'Wyt ti wedi gorffen â'r basn 'na, Tomos?' meddai wedyn. Roedd ofn arni fod hwnnw'n mynd i syrthio'n deilchion i'r llawr.

'Ydw,' meddai Tomos Wiliam, gan roi'r basn ar y pentan. Roedd e wedi gorffen y bara a chaws, ac yn awr pwysai ei ben blinedig ar gefn y sgiw. Gwelsant ei lygaid yn cau am ysbaid hir ac yn agor gydag ymdrech wedyn.

*   *   *

Pan ddihunodd Tomos Wiliam fore trannoeth, nid oedd ganddo'r syniad lleiaf ymhle roedd na sut yr oedd wedi cyrraedd yno. Cododd ar ei eistedd a theimlodd boen drwy ei gorff fel pe bai wedi cael ei gicio yn ddi-drugaredd drosto i gyd. Yna cofiodd am ei daith bell dros fryn a phant a thrwy ddrysi a pherthi. Trodd ei ben a gwelodd y Gwyddel yn cysgu'n dawel yn ei ymyl. Fe gofiodd iddo gyrraedd yr Hafod y noson gynt, ond yn ei fyw ni allai gofio sut y daeth i'r gwely na phwy oedd wedi golchi ei wyneb a'i ddwylo.

Gorweddodd yn ôl ar ei obennydd a dechrau meddwl. Beth oedd yn mynd i ddigwydd yn awr? Fe fyddai John Mansel a'i ddynion yn chwilio amdano ym mhobman. A oedd Ruth wedi cyfaddef ei bod wedi rhoi'r ewyllys iddo? Efallai fod yr hen greadures wedi *gorfod* cyfaddef.

Byddai rhaid cael yr ewyllys i ddwylo rhywun oedd yn deall y gyfraith—rhyw gyfreithiwr y gallent ymddiried ynddo i'w chadw yn ddiogel, ac a ddywedai wrthynt sut i weithredu. Ac fe deimlai wrth orwedd yno nad oedd dim amser i'w golli.

Cododd yn anystwyth o'r gwely a dihuno'r Gwyddel yr un pryd. Pan gyrhaeddodd y ddau y gegin gwelsant fod y lleill ar eu traed ers amser, ac yn wir roedd yr hen Ifan allan ers awr gyda'r ŵyn a'r mamogiaid.

Ar frecwast bu'r pedwar ohonynt yn trafod eu cynlluniau am y dyfodol. Pan glywodd Tomos Wiliam am y cyfreithiwr ifanc, Hugh Williams o Gaerfyrddin, gan Catrin, dywedodd ar unwaith mai ato ef y dylent fynd, a hynny heb golli dim amser.

Wedi llawer o ddadlau, fe benderfynwyd—neu i fod yn fwy cywir—fe benderfynodd Catrin Puw, eu bod i *gyd* yn mynd gyda'i gilydd i Gaerfyrddin—y plentyn a chwbl—i siarad â'r cyfreithiwr. Roedd yr hen Ifan, am unwaith yn ei fywyd, wedi ceisio dadlau â'i wraig ei bod yn amhosib iddo ef fynd, am fod gofal y fferm ar ei ysgwyddau ef. Roedd yn rhaid iddo fod gyda'r defaid a'r ŵyn yn enwedig yr amser hwnnw o'r flwyddyn. Ond roedd Catrin wedi dweud y byddai hi'n trefnu fod mab cymydog iddynt yn dod i'r Hafod i ofalu am bopeth tra bydden nhw i ffwrdd.

Ac felly, ddeuddydd yn ddiweddarach, fe gychwyn-nodd cart yr Hafod, yn cael ei dynnu gan yr hen Robin, i lawr y lôn tua'r ffordd fawr. Yn y cart yr oedd Catrin Puw ac Ifan, Tomos Wiliam a Gwen, a thu ôl iddynt ar gefn ei geffyl, deuai'r Gwyddel.

Yr oedd Catrin wedi paratoi basgedaid o fwyd ar gyfer y daith ac roedd 'stenaid o laeth ffres hefyd ar lawr y cart. Yr oedd yn ddiwrnod sych a heulog trwy lwc, ac roedd y plentyn bach wrth ei fodd yn eistedd ar ben-glin yr hen Ifan, a oedd yn gyrru'r cart.

Nid oedd neb yn synnu eu gweld yn mynd felly, oherwydd roedd llawer o deuluoedd yn teithio yn yr un modd i gyfeiriad Caerfyrddin y diwrnod hwnnw—rhai i'r farchnad i werthu wyau a menyn a chaws, a rhai'n mynd i ymweld â'u perthnasau, neu ar ryw fusnes neu'i gilydd. Ond os deuai rhyw wŷr ar gefn ceffylau i'w cwrdd byddai Tomos Wiliam yn gorwedd ar lawr y cart rhag ofn mai rhai o ddynion John Mansel yn edrych amdano ef oeddynt.

Er iddynt gychwyn allan yn y bore bach—gyda'r wawr yn wir—yr oedd hi'n bedwar o'r gloch y prynhawn arnynt yn cyrraedd y dref. Yr hen Robin oedd yn gyfrifol am hynny. Ef oedd y ceffyl mwyaf araf o ddigon o'r holl geffylau oedd ar y ffordd y diwrnod hwnnw ac roedd pob cerbyd arall wedi eu gadael ymhell ar ôl. Yr oedd hyd yn oed hen gert bach ac asyn yn ei dynnu wedi mynd heibio iddynt a diflannu heibio i'r tro yn y ffordd o'u blaenau. Wedyn roedden nhw wedi aros ddwywaith i gael bwyd.

Roedd Catrin wedi gofalu dod â chyfeiriad y cyfreith-iwr gyda hi o *Seren Cymru*.

'Heol Awst, Ifan,' meddai ar ôl iddyn nhw ddod ar gyfyl y dre.

Ar ôl mynd am dipyn . . . 'Dyma ni yn Heol Awst 'te, Catrin,' meddai Ifan.

117

'Tŷ Gwyn,' meddai Catrin. Wedi holi hwn a'r llall fe ddaethant at dŷ mawr, a oedd wedi bod unwaith yn wyn, ond a oedd yn awr yn edrych yn llwyd ac anniben.

'Dyma ni wedi cyrraedd,' meddai Tomos Wiliam.

'Sut wyt ti'n gwbod?' gofynnodd ei chwaer.

'Ond Catrin fach, mae'r enw fanco uwchben y drws, w! Pwy sy'n mynd mewn i siarad â'r cyfreithiwr?'

'Fe awn ni mewn i gyd,' meddai Catrin. Ond a dweud y gwir aethon nhw ddim i gyd mewn oherwydd fe fu rhaid gadael Ifan y tu allan i ofalu am yr hen geffyl.

Tomos Wiliam gurodd y drws. Daeth geneth tua'r un oed â Gwen i'w agor.

'Ydy'r cyfreithiwr gartre?' gofynnodd Catrin.

'Ydy. Ydy e'n eich disgwyl chi?'

'Na'dy, debyg iawn,' meddai Catrin. 'Ond mae'n rhaid i ni 'i weld e serch hynny.'

'Rwy'n ofni na all e mo'ch gweld chi os nad ŷch chi wedi gneud trefniadau ymlaen llaw . . . mae e'n brysur iawn.'

'Dwed di wrtho fe ein bod ni wedi dod ffordd bell a bod y mater yn bwysig.' Roedd Catrin yn swnio'n benderfynol.

Edrychai'r forwyn yn bur amheus arni hi ac ar y lleill. Yna aeth i mewn i'r tŷ a chau'r drws ar ei hôl. Safodd y cwmni bach y tu allan yn methu'n lân â phenderfynu ai cau'r drws yn eu hwynebau'r oedd y forwyn wedi'i wneud, neu fynd i ofyn i'r cyfreithiwr a oedd yn fodlon eu gweld? Ond cyn pen fawr o dro agorodd y drws eto.

'Mae e'n fodlon eich gweld chi—am bum munud,' meddai'r eneth pan ddaeth hi'n ôl. Cyn iddi orffen bron roedd Catrin yn arwain y cwmni i mewn i'r tŷ. Fe'u cawsant eu hunain mewn ystafell fawr lle'r oedd desg a llawer o gadeiriau, a thân coed braf yn llosgi'n siriol yn y grât.

Wrth y ddesg eisteddai gŵr tua deg ar hugain oed, ond a barnu wrth ei wallt fe allai fod lawer yn hŷn oherwydd roedd hwnnw'n dechrau gwynnu. Edrychodd ar y dieithriaid a oedd newydd gerdded i mewn. Syrthiodd ei lygad craff ar y plentyn bach yng nghôl Gwen, yna ar y Gwyddel a safai yn ei hymyl.

'Eisteddwch,' meddai. 'Rwy'n meddwl fod digon o gadeiriau i ni i gyd.'

Yr oedd hefyd, a chyn bo hir roedd pawb wedi eistedd.

'Rwy'n ofni nad oes gen i ddim ond pum munud . . .' Tynnodd wats fawr o boced ei wasgod. Roedd Catrin wedi eistedd ar gadair uchel yn ymyl y ffenest, ond yn awr dyma hi'n neidio ar ei thraed a mynd at y ddesg.

'Welwch chi'r plentyn bach 'na?' gofynnodd. Edrychodd y cyfreithiwr yn syn arni hi yn gyntaf, yna ar y plentyn.

'Y . . . gwela,' meddai.

'Wyddoch chi pwy yw e, Mr Williams?' gofynnodd Catrin.

'Wel, na—yn naturiol; dwy i erioed wedi 'i weld e o'r blaen. Mae e'n hogyn bach pert iawn, os ca i ddweud hynny . . . ond—y—dwy i ddim yn 'i nabod e, a dwy i ddim yn eich nabod chwithe chwaith . . . y . . . falle byddech chi cystal . . .'

'Y crwt bach 'na yw etifedd Dôl-y-brain, Mr Williams!' meddai Catrin.

Cododd y cyfreithiwr ei aeliau. Yna chwarddodd.

'Dewch nawr, wraig dda!' meddai. 'Ond cyn mynd ymhellach, eich enw chi os gwelwch chi'n dda.'

Ond roedd Catrin ar gefn ei cheffyl. 'Catrin Puw ydw i, Mr Williams, a 'mrawd a'i ferch yw'r ddau yma. Fe gewch chi wbod pwy yw'r dyn ifanc mewn munud; ond nawr rwy i am i chi ddarllen y papur 'ma!'

'Beth yw e?' gofynnodd y cyfreithiwr.

'Ewyllys Syr Henri Rhydderch—y diweddar Syr Henri Rhydderch. Ac os darllenwch chi hi fe welwch 'i fod e'n gadel y cwbwl i'r plentyn bach 'ma.'

Cododd y cyfreithiwr ar ei draed.

'Gan bwyll nawr,' meddai. 'Beth ŷch chi'n geisio'i ddweud? On'd yw hi'n wir fod Harold Mansel, mab John Mansel o Aberteifi, wedi etifeddu Dôl-y-brain? Rwy i wedi clywed . . . fe . . . fe fu farw Syr Henri heb wneud 'i ewyllys . . .'

'Ond roedd ganddo fe ferch,' meddai Catrin.

'Ac roedd e wedi diarddel honno ers tair blynedd.'

'Fe ddaeth hi adre ar 'i gais, pan oedd e ar 'i wely angau,' meddai Tomos Wiliam.

'Do,' meddai Catrin, 'ac fe faddeuodd y cyfan iddi ac fe wnaeth yr ewyllys 'ma.'

'Ond mae'n rhyfedd na fuswn i wedi clywed am hyn, a finne'n byw yng Nghaerfyrddin 'ma. Ble mae'r ferch nawr . . . Mary oedd 'i henw hi rwy'n cofio.'

'Mae hithe wedi marw, o'r frech wen fel ei thad.'

Plygodd y cyfreithiwr ei ben ac agorodd y papur

melyn a digon bawlyd erbyn hyn. Dechreuodd ddarllen a syrthiodd distawrwydd dros yr ystafell. Ymhen tipyn cododd y cyfreithiwr ei ben ac edrychodd o un i'r llall mewn penbleth.

'A fydd un ohonoch chi mor garedig ag egluro pethe i fi?'

'Tomos,' meddai Catrin, 'dwed yr hanes i gyd wrtho fe.'

Ac fe adroddodd Tomos Wiliam ei stori ryfedd o'r dechrau i'r diwedd.

'A dyna'r gwirionedd i chi, syr,' meddai Catrin ar ôl iddo orffen. 'Rwy'n fodlon tyngu ar y Beibl mai fel yna y buodd hi. A nawr rŷn ni wedi dod i ofyn i chi helpu'r un bach 'ma i ga'l 'i etifeddiaeth.'

Cododd y cyfreithiwr ar ei draed a cherdded at y fan lle'r eisteddai Gwen yn ymyl y tân, a'r plentyn yn ei chôl. Estynnodd ei ddwy fraich.

'Dewch ag e i fi,' meddai, gan wenu. Cododd y plentyn i'w gôl ac edrychodd arno'n fanwl.

'Rhydderch bach wyt ti, dwed?' meddai.

'Gŵ . . . Gŵ!' meddai'r plentyn gan estyn ei freichiau at Gwen.

'Ti yw 'tifedd Dôl-y-brain, dwed?' meddai'r cyfreith-iwr wedyn. Roedd hi'n amlwg ei fod yn hoff o blant. Ond nid oedd y plentyn yn hoff iawn ohono ef.

'Gŵ, Gŵ . . . Gŵ,' meddai, gan wingo tuag at Gwen. Chwarddodd y cyfreithiwr gan ei roi yn ôl iddo.

'Os gellwch chi 'i helpu fe, syr,' meddai Gwen. Edrychodd Hugh Williams yn hir arni.

'O, rwy'n mynd i' helpu fe, 'merch i,' meddai. Edrychodd Catrin yn fuddugoliaethus o un i'r llall.

'Ddwedes i, ond do fe? Ddwedes i y bydde Mr Williams yn ein helpu ni,' meddai.

'Ydych chi'n mynd i ymladd yr achos yn y llysoedd?' gofynnodd Patrick.

'Wrth gwrs. Ond rwy i am eich rhybuddio chi nawr— fe all fod yn achos hir. Mae olwynion y gyfraith yn troi'n araf iawn y dyddiau hyn yn sir Gaerfyrddin, ac mae gan John Mansel ei gyfeillion mewn lleoedd uchel. Ond rwy'n meddwl yn siŵr mai ni fydd yn ennill yr achos yn y diwedd. Mae'n amlwg fod John Mansel a'i fab wedi ceisio cuddio'r ffaith fod Mary, merch yr hen Syr, wedi dod 'nôl o gwbwl. Maen nhw wedi 'i chladdu hi heb yn wbod i neb—heb yn wbod i mi beth bynnag. Ond mae rhai o'r gweision a'r morynion yn gwbod, ac mae'r hen arddwr yna—Watcyn—wedi arwyddo'r ewyllys. Fe ddylai ei dystiolaeth ef a Ruth fod yn ddigon. Ond—fel y dwedes i—peidiwch â disgwyl gwyrthiau ar unwaith.'

'Ie,' meddai Tomos Wiliam, 'a thra bydd y gyfraith yn llusgo'i thraed ac yn cymryd misoedd i setlo'r achos, fe fydd John a Harold Mansel wrthi'n gwerthu hen ddarluniau a hen lestri'r plas.'

'Beth? Sut y gwyddoch chi hynny?' gofynnodd y cyfreithiwr.

'Yr hen Ruth ddywedodd. Roedd Harold Mansel yn Llundain yn gwerthu dau ddarlun pan own i yno.'

Neidiodd Hugh Williams ar ei draed. 'Ac roedd Syr Henri yn gasglwr darluniau a hen lestri. Mae pawb yn gwybod mai'r darluniau—o waith yr Hen Feistri—yw cyfoeth pennaf Dôl-y-brain. Os yw John Mansel a'i fab yn gwerthu'r rheini, fe fydd rhaid rhoi stop arnyn nhw.'

'Ond sut?' gofynnodd Tomos Wiliam. Edrychodd y cyfreithiwr o un i'r llall.

'Fe fydd rhaid ei daflu ef a'i fab a'i ddynion allan o'r plas, a chymryd meddiant o'r lle yn enw'r hogyn bach 'na.'

Yr oedd y geiriau hyn mor syfrdanol nes gwneud i bawb edrych ar y cyfreithiwr fel pe bai wedi dechrau drysu—pawb ond Patrick O'Kelly. Roedd pen hwnnw'n mynd i fyny ac i lawr fel pendil cloc i ddangos ei fod yn cytuno'n llwyr.

'Ond,' meddai Tomos Wiliam, 'fedrwn ni byth—does gynnon ni ddim gobaith yn erbyn John Mansel a'r dynion 'na sy gydag e.'

'Nawr, gwrandewch arna i!' Roedd llygaid duon Hugh Williams yn fflachio. Safai yn ymyl y silff ben tân â'i gefn at y fflamau. Rhoddodd ei fodiau ym mhocedi uchaf ei wasgod liwgar.

'Mae'n rhaid i chi ymladd. Chewch chi ddim byd heb ymladd amdano. Mae'r Gwŷr Mowr yn gallu gwneud beth fynnan nhw bron. Pam? Am fod pobol gyffredin fel chi yn dweud . . . "Does gynnon ni ddim gobaith." Rŷch chi'n gadel iddyn nhw gael 'u ffordd. Dyna'r tollbyrth melltigedig 'na sy ar y ffyrdd ymhobman—fe ddylen nhw fod wedi'u tynnu lawr a'u llosgi ers llawer dydd, oherwydd dŷn nhw'n ddim ond ffordd arall i'r Gwŷr Mowr wneud arian ar gefn y bobol dlawd. Ond oes digon o asgwrn cefn ynoch chi'u tynnu nhw lawr? Nagoes; mae'n well gynnoch chi fynd yn dlotach bob dydd tra bydd y Gwŷr Mowr yn mynd yn fwy cyfoethog.'

Tynnodd ei fodiau allan o boced ei wasgod, ac am funud edrychodd arnynt heb ddweud gair.

'Ond,' meddai wedyn, 'mae 'na lawer o ddynion, mwy dewr na'r gweddill, wedi dweud wrtho i mai dim ond eisie arweinydd sy arnyn nhw ac fe fydden nhw'n barod i ymladd yn erbyn yr holl anghyfiawnder sy yn y wlad ar hyn o bryd.'

Yna, gan ostwng ei lais, dywedodd, 'Ac rwy i wedi addo bod yn arweinydd iddyn nhw. Rwy'n mynd i ddweud cyfrinach wrthych chi nawr. Mae 'na ddynion yn barod i dorri'r tollbyrth dan gysgod nos. Mae'r cynllunie wedi eu gwneud. Ac nid yn unig y tollbyrth chwaith . . . na . . . rwy'n meddwl y bydde'r bechgyn yma rwy i'n sôn amdanyn nhw yn fodlon helpu yn yr achos 'ma—i gael John Mansel a'i ddynion allan o Ddôl-y-brain.'

Dechreuodd gerdded o gwmpas yr ystafell fawr.

'Mae'r dynion yma wedi tyngu llw i ymladd yn erbyn pob anghyfiawnder ac i amddiffyn unrhyw un sydd yn cael ei gam-drin gan y gwŷr bonheddig. Pobl ddienw ydyn nhw—ffermwyr, crefftwyr, gweision ffermydd— yn ystod y dydd. Ond yn ystod y nos maen nhw'n gwmni o fechgyn nad oes dim ofn neb na dim arnyn nhw. Cyn bo hir fe fydd pob tollborth yn sir Gaerfyrddin, a thrwy'r wlad, wedi ei chwalu . . . ac fe fydd y Gwŷr Mowr wedi dysgu fod y bobol dlawd yn gallu troi arnyn nhw!'

124

Roedd ei lygaid yn fflachio ac fe anadlai'n drwm fel pe bai o dan deimlad dwys.

'Maen nhw wedi dechre ar 'u gwaith yn barod. Mae ceidwad y wercws yn y dre 'ma wedi bod yn cadw'r tlodion o dan ei ofal—yn brin o fwyd. Mae e wedi bod yn gwario'r arian oedd e wedi'i ga'l i brynu bwyd iddyn nhw, i brynu pethau iddo'i hunan. Wel, wythnos yn ôl, fe fu hanner dwsin o ddynion cryfion yn ei dŷ yn ei rybuddio y byddai rhyw niwed yn siŵr o ddigwydd iddo os byddai'n dal i wneud cam â'r tlodion dan ei ofal. Roedd y dynion hyn wedi duo'u hwynebau ac wedi gwisgo dillad merched. A wyddoch chi beth yw'r enw maen nhw wedi'i ddewis arnyn nhw 'u hunen? Wel— Merched Beca! Ac rwy'n siŵr y bydd Merched Beca'n fodlon amddiffyn cam y plentyn bach 'ma—etifedd stad Dôl-y-brain. Ydych chi'n barod i'w helpu nhw?'

'Ydyn,' meddai'r Gwyddel a Tomos Wiliam gyda'i gilydd.

Gwenodd y cyfreithiwr yn awr. 'O'r gore,' meddai, 'gwell i chi adel yr ewyllys yn 'y ngofal i nawr. Mi fydda i'n mynd i weld yr Uchel Sirydd ar unwaith, i roi'r holl dystiolaeth o'i flaen e. Yn ffodus iawn fe fydd y Barnwr Talbot—barnwr cyfiawn dros ben—yn dod i Gaerfyrddin i gynnal y Frawdlys cyn pen mis. Ond cyn hynny rwy i am weld yr etifedd bach 'ma'n ôl yn y plas, cyn i John Mansel a'i fab werthu rhagor o'r hen bethau gwerthfawr yna oedd yn eiddo i'r hen Syr. Peth arall, mae yna hen ddywediad gan y Saeson—ac maen nhw wedi credu ynddo fe erioed—"Possession is nine-tenths of the law." Nawr os bydd John Mansel a'i fab yn y plas pan ddaw'r barnwr, fe fydd ein hachos ni'n siŵr o gymryd llawer mwy o amser yn y llysoedd. Ond os bydd y perchennog iawn yno—sef y plentyn—fydd gan John Mansel ddim coes i sefyll arni!'

Pennod 10

Nos trannoeth safai tri dyn yn y tywyllwch o dan gysgod y coed mawr a dyfai o gwmpas plas Dôl-y-brain. Pwysai'r tri yn erbyn y wal uchel a amgylchynai'r plas i gyd. Yr oeddynt yn disgwyl am arwydd.

Tomos Wiliam, y Gwyddel ac Ifan Puw oeddynt, a'r arwydd a ddisgwylient oedd tri chwibaniad isel. Y sŵn hwnnw fyddai'n arwydd fod Merched Beca wedi cyrraedd i'w helpu i ymosod ar y rhai oedd wedi cymryd meddiant o'r plas.

Yr oedd y tri wedi sefyll yno'n hir—yn disgwyl. Yr oedd y Gwyddel yn ddiamynedd iawn, a phob yn awr ac yn y man fe ddechreuai gerdded o gwmpas, am na fedrai aros yn llonydd.

'Ddôn nhw ddim,' sibrydodd wrth y ddau arall. Nid atebodd yr un o'r ddau. Suai'r gwynt yn y coed mawr uwch eu pennau, ac weithiau clywent gyffro rhyw greadur bach yn y dail crin. Ond nid oedd un sŵn arall.

Tynnodd Tomos Wiliam ei law dros gerrig solet y mur uchel. Byddai rhaid mynd dros y mur, meddyliodd, pan ddeuai'r rhai oedd wedi'u galw'u hunain yn Ferched Beca. Ac unwaith y bydden nhw wedi mynd dros y mur mawr, fyddai dim troi'n ôl wedyn. Yn wahanol i'r Gwyddel roedd Tomos Wiliam yn meddwl y byddai Merched Beca yn siŵr o ddod. Roedd y cyfreithiwr wedi dweud—ac roedd ganddo feddwl uchel o hwnnw erbyn hyn.

Yna neidiodd y tri oddi wrth y wal pan glywsant dri chwibaniad byr yn eu hymyl. Cerddodd y tri yn frysiog ond yn ddistaw i gyfeiriad y sŵn. Yna clywsant sŵn arall—sŵn ceffyl yn gweryru'n isel. Yn sydyn yr oedd golau yn disgleirio arnynt. Yr oedd rhywun yn cario lamp wedi ei thywyllu, ac yn awr roedd e wedi tynnu'r mwgwd oddi arni am foment er mwyn eu gweld yn iawn.

'Tomos Wiliam?' holodd llais cryf, dwfn o'r tu ôl i'r golau.

'Ie, fi yw Tomos Wiliam.' Yna roedd y lantarn wedi ei thywyllu eto, ond nid cyn i'r tri weld golygfa ryfedd yn y cysgodion, sef tua dwsin o greaduriaid duon eu hwynebau a'r rheini'n edrych yn ddychrynllyd ac yn chwerthinllyd yr un pryd—mewn dillad gwragedd o bob lliw a llun. Er na wyddai Tomos Wiliam hynny'r foment honno, yr oedd wedi cael cip ar rai o'r dynion a oedd yn ddiweddarach yn mynd i ddryllio'r holl dollbyrth ar ffyrdd sir Gaerfyrddin, a'u clirio oddi ar heolydd Cymru gyfan.

'O'r gore,' meddai'r dyn â'r llais cryf, dwfn, 'rwy'n deall dy fod wedi bod yn gweithio yn y plas?'

'Do.'

'Fe gei di arwain felly. Fe gei di fynd dros y wal yn gynta.'

'Fi? Ond sut . . . mae'r wal yn uchel . . .'

'Morus, dere â'r ceffyl du at y wal fan yma.'

Yn y tywyllwch clywodd y tri sŵn carnau'r ceffyl yn nesu at y wal.

'Fe gei di fynd ar dy draed ar gefn y ceffyl. O'r fan honno fe fydd yn hawdd i ti gyrraedd top y wal. Fe fydd rhaid i ti neidio wedyn. Gobeithio mai pridd meddal a phorfa sy yr ochor draw i'r wal.'

Chwarddodd rhywun yn isel. Cydiodd un o'r 'Merched' yng nghoes Tomos Wiliam a'i godi ar gefn y ceffyl. O'r fan honno cafodd afael yn nhop y wal a'i dynnu ei hun i fyny. Wedyn taflodd goes drosti. Yr eiliad nesaf yr oedd yn disgyn trwy fieri a brigau mân i'r llawr yr ochr arall. Glaniodd yn ddiogel ar borfa feddal, ond ofnai ei fod wedi gwneud twrw mawr wrth ddisgyn. Symudodd o'r ffordd mewn pryd i roi lle i'r Gwyddel, a ddisgynnodd ar ei draed yn ei ymyl. Yna roedd sŵn tuchan uchel ar ben y wal a dyma Ifan Puw yn disgyn ar y borfa ac yn rowlio fel gwahadden yn y drysi.

Cyn bo hir roedd tua dwsin o Ferched Beca wedi dod dros y wal atynt.

Yn awr yr oedd goleuadau'r plas yn y golwg. Gwelsant fod golau yn ffenestri'r llofft yn ogystal â'r rhai ar y llawr.

'Ymla'n â ni,' meddai'r llais dwfn. 'Tomos Wiliam i arwain.'

Gwyddai Tomos Wiliam, ar waetha'r tywyllwch, eu bod wedi glanio yn y gerddi, ac o'r fan honno fe wyddai'n iawn am y llwybrau oedd yn arwain i'r plas.

'Oes gyda ni ryw gynllun . . .?' gofynnodd.

'Dim ond un,' meddai'r llais cryf, dwfn, 'sef yw hwnnw—ein bod ni'n mynd mewn i'r plas, yn cydio yn John Mansel a'i fab (os yw e yno)—ac unrhyw un arall fydd yn ceisio'n rhwystro ni. Yna fe fyddwn ni'n 'u clymu nhw a mynd â nhw gyda ni. Wedyn fe fyddwch chi'n cloi'r porth ac yn cadw pawb allan o'r plas nes bydd Mr Hugh Williams wedi dod i ddweud wrthoch chi beth i' neud nesa. Fe fydda i'n bersonol yn rhoi gwybod i'r ddau Fansel y bydd Merched Beca yn ddig iawn os bydd un ohonyn nhw'n ceisio dod 'nôl yn agos i'r lle 'ma byth eto.'

'Ydych chi'n sylweddoli fod John Mansel a'i ddynion yn cario arfau?' gofynnodd Tomos Wiliam.

'Rydyn ninne'n cario arfau hefyd, 'y machgen i,' meddai'r llais, yn fwy tawel y tro hwn.

'Ffordd hyn,' meddai Tomos Wiliam. A heb oedi rhagor i ddadlau arweiniodd y ffordd tua'r plas.

Cerddent yn ddistaw ar hyd y llwybr trwy ganol y gerddi. Nid oedd yn ymddangos fod neb o gwmpas. Daeth y goleuadau yn nes. Cyn bo hir yr oeddynt yn dringo'r grisiau i'r lawnt o flaen y plas.

Yna dechreuodd pethau ddigwydd yn sydyn. Cyfarthodd ci o'r tu mewn i'r plas. A oedd wedi clywed eu sŵn ar y lawnt? Safent yn awr yn dwr bach o ddynion—a 'merched'—yng ngolau ffenestri mawr y plas, a gallai unrhyw un a oedd o gwmpas eu gweld yn hawdd. Yna agorodd y drws a rhuthrodd y ci atynt ar draws y lawnt. Daeth hyd atynt a chwyrnu'n isel o'u cwmpas.

129

Trawodd un o Ferched Beca ef yn ei ben â phastwn nes oedd yn gorwedd yn gorff diymadferth ar y llawr.

'Pwy sy 'na?' gwaeddodd llais o'r drws. Heb ateb rhuthrodd Merched Beca a'r tri arall ar draws y lawnt am y drws mawr. Ond cyn iddynt ei gyrraedd yr oedd wedi 'i gau a'i folltio yn eu hwynebau.

'Oes yna ffordd arall i fynd i mewn?' sibrydodd rhywun.

'Oes, dilynwch fi,' sibrydodd Tomos Wiliam. Roedd e'n teimlo'n gynhyrfus iawn. Nid oedd wedi torri mewn i dŷ neb erioed o'r blaen. Meddyliodd am yr hen Ifan Puw. Sut oedd y creadur diniwed hwnnw'n teimlo?

Arweiniodd y lleill at y rhan o'r plas lle'r oedd y gweision a'r morynion. Gadawodd y dyn â'r llais dwfn bedwar o'r Merched i wylio'r porth mawr oedd newydd gael ei folltio yn eu herbyn, ac aeth ef a'r lleill ar ôl Tomos Wiliam. Nid oedd angen mynd yn ddistaw a llechwraidd bellach, gan fod dynion John Mansel yn gwybod eu bod yno.

Daeth Tomos Wiliam at ddrws y gegin. Ceisiodd agor y drws, ond gan ei bod wedi mynd yn hwyr, ni chafodd syndod o gwbwl ei fod ynghlo. Curodd arno â'i ddwrn, ond ni ddaeth neb.

'Mi dorrwn y ffenestri,' meddai'r dyn â'r llais dwfn yn ddiamynedd.

Ond cyn iddynt orfod gwneud hynny gwelsant olau gwan yn ffenestri'r gegin. Roedd rhywun yn dod at y drws.

Clywsant y pâr yn cael ei dynnu.

Agorodd y drws a gwelodd pawb hen wraig a channwyll grynedig yn ei llaw yn sefyll yno.

'Pwy sy'n curo mor hwyr y nos?' gofynnodd yr hen wraig, gan geisio sbio i'r tywyllwch.

'Ruth!' meddai Tomos Wiliam. 'Peidiwch dychrynu —fi sy 'ma, Tomos Wiliam.'

'Tomos Wiliam! Na, na, mae'n rhy beryglus i chi ddod 'nôl 'ma. Rhaid i chi fynd ar unwaith! Y . . . lwyddoch chi . . . ?'

'Do, mae'r ewyllys mewn lle diogel, ac mae gen i gyfeillion fan yma, Ruth, sy'n mynd i erlid John Mansel a'i ddynion o Ddôl-y-brain. Does dim amser i egluro popeth nawr. Rydyn ni am ddod mewn i'r tŷ, ac rwy i am i chi ein harwain ni at John Mansel.'

'Ydw i'n gweld Mr Patrick O'Kelly gyda chi yn fan'na, Tomos Wiliam?' gofynnodd yr hen wraig.

'Ydy, mae e wedi dod 'nôl. Ond does dim amser i'w golli . . .'

'Dewch,' meddai'r hen wraig, gan droi ei chefn a cherdded ar draws y gegin at y drws oedd yn arwain—fel y gwyddai Tomos Wiliam yn dda—at y grisiau, a oedd yn eu tro yn arwain i'r llofft lle'r oedd stafelloedd gwely'r gweision a'r morynion.

Aeth y cwmni rhyfedd ar ei hôl. Roedd hi'n amlwg nad oedd yr hen wraig wedi gweld y creaduriaid hynod oedd yn dilyn Tomos Wiliam, y Gwyddel ac Ifan Puw.

Aethant dwmp, dwmp i fyny'r grisiau, gan ddilyn golau simsan y gannwyll. Wedyn ar draws y coridor cul ac at y landin lle'r oedd Tomos Wiliam wedi teimlo ofn y golau. Yr oedden nhw nawr ar ben y grisiau oedd yn arwain i lawr i'r rhan o'r plas lle'r oedd John Mansel a'i ddynion. Trodd yr hen Ruth ei phen ar ben y landin, ac am y tro cyntaf gwelodd y creaduriaid â'r wynebau duon a'r dillad merched. Aeth ei llaw at ei cheg mewn dychryn.

'Tomos Wiliam . . . ?' sibrydodd. Cydiodd hwnnw yn ei braich.

'Cyfeillion ydyn nhw, hen wraig, peidiwch cael dychryn.'

'Ond . . . '

'Gadewch i ni fynd,' meddai Tomos Wiliam yn isel ac yn amyneddgar, 'fe gaf fi amser i egluro wedyn.'

Aeth yr hen wraig i lawr y grisiau mawr wedyn. Roedd carped trwchus ar y grisiau hyn ac ni wnaeth y cwmni fawr ddim o sŵn wrth ddisgyn ar hyd-ddynt. Erbyn hyn roedd Tomos Wiliam wedi cael cyfle i weld perchen y llais cryf, trwm. Roedd e'n glorwth anferth o ddyn mawr, ac edrychai'r dillad merched amdano yn rhyfedd iawn. Daethant i waelod y grisiau heb weld neb. O'r fan honno gallent glywed siarad uchel yn mynd ymlaen y tu ôl i'r drws caeedig ar y dde. Plygodd y Gwyddel ei glust wrth dwll y clo. Ond yr oedd y dyn mawr yn ddiamynedd. Aeth yn ddistaw at y drws, gan wthio Patrick o'r ffordd. Yna dyma fe'n rhoi ei ysgwydd yn erbyn y drws ac yn gwneud ystum ar y lleill i fod yn barod i'w helpu.

'Nawr!' gwaeddodd y llais dwfn, mawr. Hyrddiodd y cawr ei gorff mawr yn erbyn y drws.

Agorodd hwnnw gyda chlec anferth, a'r eiliad nesaf yr oedd Merched Beca yn sefyll ar ganol llawr yr ystafell. Rhaid bod yr olwg ddychrynllyd arnynt—yn eu sgertiau mawr, a'u hwynebau wedi cael eu pardduo, wedi codi dychryn hyd yn oed ar John Mansel, oherwydd er bod ganddo bistol yn ei law, fe fethodd â'i danio. Yn lle hynny fe oedodd am eiliad â'i geg ar agor i edrych ar yr olygfa o'i flaen. Ac fe fu'r eiliad honno'n dyngedfennol. Cyn iddo gael ail gyfle yr oedd y Gwyddel wedi disgyn arno a dwyn y dryll o'i law.

Ond nid oedd John Mansel wedi gorffen eto. Cyn gynted ag y daeth ato'i hunan dyma fe'n dechre gweiddi dros y lle i gyd, 'Help! Myrder!' Trawodd y dyn mawr â'r llais dwfn ef o dan ei ên nes oedd yn mesur ei hyd ar y llawr. Ond yr oedd pump arall yn yr ystafell. Yr oedd y rheini'n amlwg wedi bod yn yfed gyda John Mansel pan dorrodd Merched Beca'r drws i lawr. Ond wedi gweld eu meistr yn cael ei lorio mor ddi-seremoni nid oedd yn ymddangos fod yr un o'r pump yn awyddus i ymladd yn erbyn y 'merched' duon, rhyfedd a oedd yn sydyn wedi mynd yn llond ystafell. Edrychent ar y llawr lle'r oedd John Mansel yn dechrau ymysgwyd ar ôl gorwedd yno'n hollol ddiymadferth am dipyn.

Y Gwyddel a dorrodd y distawrwydd.

'A! Harold Mansel,' meddai, 'dyma ni'n cwrdd unwaith 'to, ond mewn amgylchiadau go wahanol y tro 'ma.'

Sylwodd pawb ei fod yn siarad â dyn ifanc, tenau a oedd yn eistedd ym mhen pellaf y bwrdd mawr.

'Rwyt ti wedi mynd yn rhy bell y tro 'ma, O'Kelly,' meddai'r dyn ifanc, tenau rhwng ei ddannedd. Yna

133

roedd John Mansel wedi codi'n simsan ar ei draed. Yn awr pwysai ar y wal â llinell denau o waed yn rhedeg i lawr ei ên. Disgynnodd ei lygaid ar wyneb Tomos Wiliam.

'Ti'r cythraul!' meddai'n isel. ''Y ngarddwr i, iefe? Ble'r ydw i wedi dy weld ti o'r blaen dwed? Roeddwn i'n dy ame di pan ddoest ti yma i ofyn am waith . . .'

'Tomos Wiliam ydw i. Fi oedd yn cadw tollborth Pont-y-glyn pan ddaethoch chi a'ch dynion i'r tŷ i chwilio. Roedd gen i farf y pryd hynny. Fi a'm merch, Gwen, roddodd ymgeledd i'r plentyn bach—etifedd y plas yma.'

Agorodd llygaid y gŵr bonheddig led y pen.

'Ti, iefe? Ble cuddiest ti'r plentyn dwed?'

Daeth hanner gwên i wyneb Tomos Wiliam. 'Roedd e yn y gwely gyda Gwen fy merch.'

Gwgodd John Mansel. 'Ble mae e nawr?'

'Mae e'n ddigon diogel. Ac mae ewyllys olaf yr hen Syr yn ddiogel hefyd, ac mae honno'n gadael y cyfan i'r plentyn—Arthur.'

'Rwyt ti'n dweud celwydd!' gwaeddodd Harold Mansel gan neidio ar ei draed.

'Na, Harold Mansel,' meddai llais o'r drws, 'mae e'n dweud y gwir.'

Trodd pawb ei ben tua'r drws. Yno safai'r hen Ruth, yn pwyso ar ei ffon. Yr oedd ei hwyneb yn llwyd ac yn rhychiog fel hen femrwn.

'I mi y gadawodd yr hen Syr y cwbwl!' gwaeddodd Harold Mansel eto. 'Does yna ddim ewyllys arall.'

'Oes,' meddai Ruth, gan gerdded yn gloff i mewn i'r ystafell, 'a diolch i Dduw am hynny!'

'Rydych chi'n dod gyda ni, John Mansel,' meddai'r dyn mawr â'r llais dwfn.

'Dod gyda chi? I ble?'

'Yn ddigon pell o Ddôl-y-brain. Rŷch chi wedi bod 'ma'n rhy hir. Does gynnoch chi ddim busnes i fod 'ma o gwbwl . . .'

'Oes!' gwaeddodd Harold Mansel dros y lle i gyd. 'Pan briododd Mary'r Gwyddel fe wnaeth fy ewyrth ei ewyllys yn gadael y plas a phopeth i mi.'

'Falle do fe, Harold Mansel,' meddai'r hen Ruth, 'wn i ddim am hynny . . . mae'n bosib dy fod yn dweud y gwir. Ond fe wnaeth Syr Henri ewyllys arall cyn marw—fi a Watcyn y garddwr a'i harwyddodd hi—yn gadael y cyfan i'r plentyn, Arthur, mab dwy flwydd oed Miss Mary. Ac rwy i wedi'i gweld hi, ac yn gwybod ei chynnwys hi.'

'A finne hefyd,' meddai Tomos Wiliam.

'Beth bynnag, John Mansel,' meddai Ruth, gan sefyll i fyny'n syth ar ganol y llawr, 'roeddech chi'n gwbod yn iawn—pan ddaeth Miss Mary adre â'i phlentyn gyda hi, nad oedd gan Harold ddim siawns. Dyna pam y buoch chi'n ceisio dod o hyd i'r plentyn. Duw a ŵyr beth fusech chi wedi'i wneud iddo fe pe baech chi wedi llwyddo i gael eich dwylo arno. Dihiryn o ddyn ydych chi, John Mansel, a gore i gyd po gynta i chi adel Dôl-y-brain am byth!'

Yr oedd llais y wraig yn crynu.

'Ie, a'ch mab hefyd, ŵr bonheddig,' meddai'r dyn mawr, 'ac os dewch chi'n agos i'r lle 'ma 'to, fe fydd Merched Beca'n delio â chi.'

'Merched Beca?' meddai Harold. 'Beth yn y byd yw'r rheini?'

'Fe glywch chi ddigon o sôn amdanon ni cyn bo hir,' meddai'r dyn mawr. 'Clymwch nhw!' gwaeddodd yn sydyn ar y lleill.

Am y tro cyntaf sylwodd Tomos Wiliam fod rhai o'r Merched a chanddyn nhw raffau am eu canol. Yn rhyfedd iawn nid oedd John Mansel wedi dweud yr un gair ers amser. Safai yno â'i wyneb yn welw fel corff oni bai am y llinyn o waed oedd yn dal i redeg i lawr o'i geg dros ei ên. Ond pan oedden nhw'n ei glymu yr oedd ei lygaid milain ar Tomos Wiliam, a gwyddai hwnnw wrth yr olwg yn y llygaid oeraidd y byddai John Mansel wedi ei ladd y funud honno pe bai wedi cael cyfle.

Yna roedd Merched Beca yn ei arwain ef a'r dynion eraill allan o'r ystafell fawr lle'r oedden nhw wedi bod yn yfed gwin ac yn 'i lordio hi bum munud ynghynt.

*　　　*　　　*

Bu Tomos Wiliam, y Gwyddel a'r hen Ifan Puw ar eu traed drwy'r nos honno. Ar ôl i Ferched Beca fynd, ac ar ôl cloi'r porth mawr, yr oeddynt yn benderfynol nad oedd yr un o ddihirod John Mansel yn mynd i ddod 'nôl drachefn. Felly roedden nhw wedi aros ar lawr i wylio.

Bore trannoeth yn fore, cyrhaeddodd cerbyd Hugh Williams borth y plas. Yn y cerbyd yr oedd y cyfreithiwr ei hun, yr hen Gatrin, Gwen a'r etifedd bach. Yr oedd rhyw lawenydd mawr yng nghalon Tomos Wiliam wrth agor y porth iddyn nhw.

Pan ddaeth Gwen allan o'r cerbyd a cherdded i fyny'r grisiau at ddrws ffrynt y plas â'r bychan yn ei chôl—yr oedd yr hen Ruth yn sefyll yno yn ei disgwyl. Yr oedd ei hwyneb yn bictiwr. Chwaraeai gwên o gwmpas ei hen wefusau, ac eto roedd y dagrau'n powlio i lawr dros y gruddiau rhychiog.

Cyn gynted ag y daeth Gwen i ben y grisiau estynnodd yr hen wraig ei breichiau tenau. Tynnodd yr etifedd bach i'w chôl a'i wasgu at ei chalon.

'Diolch i Dduw am gael byw i weld y diwrnod yma,' meddai. Yna gan edrych ar y lleill, a oedd erbyn hyn wedi dod a sefyll o'i chwmpas, 'Dewch gyfeillion, rhaid i ni fod yn llawen gyda'n gilydd heddi—mae etifedd Dôl-y-brain wedi dod adre!' Yna trodd ar ei sawdl a mynd i mewn i'r plas â'r plentyn yn ei chôl. Aeth Gwen a Catrin a'r lleill i mewn ar ei hôl. Ni allai'r ddwy ddynes frysio am eu bod yn gorfod edrych o'u cwmpas ar holl ryfeddodau plas Dôl-y-brain. Nid oeddynt erioed wedi gweld y fath ysblander yn eu bywyd—yr ystafelloedd gwych, y lluniau drudfawr ar y muriau—a'r llestri! Roedd gan Catrin un neu ddwy hen jwg werthfawr, neu weddol werthfawr, yn yr Hafod, ond pan welodd hi rai o lestri'r plas, roedd hi'n fud gan syndod.

*   *   *

Yn ddiweddarach y bore hwnnw eisteddai Hugh Williams y cyfreithiwr wrth y bwrdd yn y stafell lle'r oedd John Mansel a'i fab a'i ddynion wedi bod yn yfed a bwyta'r noson gynt. O'i gwmpas yn awr eisteddai Ruth, Tomos Wiliam, Catrin, Ifan, Gwen a'r Gwyddel.

'Rwy i wedi rhoi'r ffeithiau gerbron yr Uchel Sirydd ddoe,' meddai Hugh Williams. 'Ac mae'n dda gen i ddweud 'i fod e wedi rhoi gwrandawiad teg i fi. Roedd e'n cytuno â fi—os gellid profi popeth yn bendant—na fyddai eisiau i'r achos gymryd fawr ddim o amser. Roedd ef o'r farn y dylid dwyn achos cyfreithiol yn erbyn y ddau Fansel os oedden nhw wedi gwerthu rhai o drysorau'r plas. Ond cyn i mi fadael ag e fe ddywedodd y byddai ef yn synnu os dangosai'r ddau eu pig o gwmpas Caerfyrddin am amser hir!' Pesychodd.

'Mae'n ymddangos felly na fydd neb yn debyg o amau hawl y plentyn i'r stad wedi'r cyfan. A'r cwestiwn sy'n codi nawr yw pwy sy'n mynd i redeg y lle anferth yma nes bydd e wedi tyfu'n ddigon o ddyn i wneud hynny 'i hunan?'

Edrychodd pawb yn syn arno. Nid oedd yr un ohonynt wedi meddwl am y broblem yma o gwbwl. Aeth y cyfreithiwr yn ei flaen.

'Fe fydd rhaid cael rhywun yn stiward ar y stad 'ma—rhywun i ofalu am brynu a gwerthu a gofalu bod y gweision a'r crefftwyr yn gwneud 'u gwaith yn iawn, ac yn y blaen. Fe fydd rhaid cael rhywun da iawn i wneud y gwaith yma. Mae stiward gwael neu un anonest yn gallu gwneud niwed mawr. Pwy, yn eich barn chi, ddylai gael y swydd bwysig 'ma yn Nôl-y-brain, nes i'r plentyn ddod i oed?'

Yr oedd pawb yn fud.

'Wel,' meddai ymhen tipyn, 'rwy'n mynd i awgrymu mai ei berthynas agosaf ddylai gymryd gofal o'r stad . . .'

Am foment edrychodd pawb mewn penbleth arno.

'Y . . . Patrick?' gofynnodd Gwen.

'Ie. Mae e'n ewyrth i'r hogyn bach, ac mae e'n ŵr ifanc sy wedi bod yn berchen tir yn Iwerddon, ac mae e eisoes wedi dangos 'i barodrwydd i helpu'r plentyn pan oedd hi'n galed arno.'

'Rwy'n cytuno'n llwyr â chi, Mr Williams,' meddai Ruth. 'Rwy'n 'i adnabod e'n ddigon da i wybod na fydd Dôl-y-brain ddim yn cael dim cam gydag e.'

Yn awr edrychodd pawb ar y Gwyddel ifanc.

'Wel, beth amdani?' gofynnodd Hugh Williams.

'Wel,' meddai Patrick, 'does dim yn Iwerddon yn 'y ngalw i adre. Mae'n teulu ni wedi colli'r tir a phob dim i'r Saeson . . .'

'Dyna hwnna wedi 'i setlo 'te,' meddai'r cyfreithiwr. 'Fe fydd ewyrth y 'tifedd bach yn rhedeg y stad nes daw e'n ddigon hen. A nawr mae'r cwestiwn yn codi—pwy sy'n mynd i ofalu am y plentyn 'i hunan?'

'Ruth,' meddai Tomos Wiliam.

Ysgydwodd yr hen wraig ei phen.

'Na, mae baich y blynyddoedd yn rhy drwm arna i bellach i fagu plentyn. Beth amdanoch chi, 'merch i?' meddai gan droi at Gwen.

'Fi?' meddai Gwen yn syn.

'Mae'r plentyn bach yn hapus iawn gyda chi, rwy i wedi sylwi,' meddai Ruth wedyn.

'Ydy mae e,' meddai Hugh Williams, gan wenu arni. 'Beth amdani?'

'Fi? Byw 'ma ŷch chi'n feddwl? O na, fe fydd rhaid i fi gadw tŷ i 'nhad . . .'

Bu distawrwydd o gwmpas y bwrdd am dipyn. Yna dyma Patrick yn dweud, 'Wel, Gwen, os ŷch chi'n gwrthod cymryd gofal o Arthur, rwy'n ofni y bydd rhaid i finne ailfeddwl ynglŷn â chymryd gofal o'r stad. Fedra i ddim gofalu am y lle a'r plentyn!'

Yna, er syndod i bawb, dyma'r hen Ifan yn rhoi ei big i mewn.

'Roeddet ti, Tomos, yn arddwr 'ma ryw bythefnos yn ôl, on'd oeddet ti?'

'Oeddwn ond . . .'

'Wel 'te . . .' Gadawodd yr hen ffermwr dywedwst hi yn y fan yna.

'Wrth gwrs!' meddai'r cyfreithiwr, gan daro'r bwrdd â'i ddwrn. 'Dyna'r union ateb! Tomos Wiliam yn derbyn swydd garddwr y plas, a'i ferch, Gwen, yn gofalu am y plentyn—ac amdano ynte!'

'Ond . . .' meddai Gwen. Estynnodd y Gwyddel ei law ar hyd y bwrdd a chydio yn ei llaw a'i gwasgu. Edrychodd Gwen arno a gwridodd. Ond roedd gwên fach yn chware o gwmpas ei gwefusau serch hynny. Digwyddodd Tomos Wiliam weld y llaw yn symud ar hyd y bwrdd, ac yn cydio yn llaw ei ferch. Gwelodd hefyd y wên ar wyneb tlws Gwen, ac er iddo feddwl dweud ei fod am drio'i lwc yn y gweithfeydd glo, yr hyn a ddywedodd oedd 'Rwy'n meddwl, Mr Williams, na fyddai dim yn well gen i na bod yn arddwr ym mhlas Dôl-y-brain.'

*   *   *

Nos trannoeth tynnai'r hen Robin gart yr Hafod yn araf i fyny'r lôn at yr hen ffermdy ar lethrau'r Frenni Fawr.

'Cofia di, Ifan,' meddai Catrin, 'dwy i ddim yn siŵr ynghylch y Gwyddel ifanc 'na. Un go wyllt yw e, cofia.'

'Catrin fach, beth gwell wyt ti o siarad, w? Welest ti ddim mo'r olwg yn llyged y ddou? Maen nhw mewn cariad, ferch. A pheth arall—coelia di fi, mae gan Gwen ddigon o gomon-sens i'r ddou ohonyn nhw. Ji-yp, Robin bach!'